もくじ

描くことⅡ……137

はじめに

深く青い海と、重たい雲が漂う空をバックに、こちらを真っ直ぐに見つめる女性。その視線に射抜かれたように立ちすくみ、しばらく視線を逸らせなくなった。それが、アジサカコウジさんの描く作品との出会いだ。

2022年の夏、長崎市出島町にあるギャラリーで披露された個展は「NANA SAUVAGE（野生の女）」と題されたもので、様々な女性のアクリル画が並んでいた。誰もが無表情にこちらを見つめていて、なんだか心を全て見透かされたような気分になり「あなたって、そうなのね」なんて言葉が聞こえてきそうだった。ただそれは、哀れむようでも、寄り添うようでもなく、あくまでありのままの存在をまっすぐ受け入れてくれている。そんな風に感じられた。

一枚ずつじっくり作品を眺めていると、後ろから「どこで知ってきたと？」と声をかけられた。坊主頭にTシャツとチノパン、そして飾らない九州弁の男性。アジサカコウジさんである。そこからSNSで作品や個展を知ったこと、自分が物書きをしていることなど、初対面ながら不思議と違和感なく話した。一段落した後、どのように絵を制作しているのか聞いてみると、こう語ってくれた。

「なるべく考えんようにしとると。手が好き勝手に描いとるようにしたい。でも、描いとるうちにだんだん頭で考えてしまうけん、別の作品を描き始める。描きよったらまた頭の方に意識がいくけんが、別の作品を描く。その繰り返しで、同時に4枚とか5枚とか描きよるっちゃん」。

その後もいろんな話を聞かせてもらったが、作品の奥にある等身大の哲学やあたたかい人柄、そして絵を描くこと、日々の実生活への向き合い方に対する興味がどんどん強まり、思い切って個展最終日にインタビューを依頼させていただいた。当時は書籍化の見通しなど全くなく、あくまで純粋な好奇心からのお願いだった。それから1年以上が経ったが、今でも熱を帯びた好奇心は変わらない。むしろ、その後インタビューと文字起こしを何度も重ねる中で、アジサカさんの揺れ動く心や言葉、その中にあるブレない軸が少しずつ見えてきて、どんどん熱の温度は上昇していくばかりだった。

本書は画家・イラストレーターとして活動されているアジサカコウジさんへのロングインタビューをまとめたものだ。絵を描くことに対する多方面からの思索、日本や海外で暮らしながら描き続けた日々について、ざっくばらんに伺った内容を、ご本人の方言や口調を残したまま書き記している。今回、インタビュアーである私の発言や質問は全て省略している。書き手としての意図や思いはあくまで前に出ることなく、読んでくださる方がアジサカさんと向かい合って座り、二人っきりで話しているような、そんな親密さが感じられる一冊となれば本望だ。

藤本 明宏

描くことI　6

描くことI

自分の全部を出して描く

もともと、絵描きで食べていけるとか、ぜんぜん思わんやったと。昔から絵を描くのは好いとったし、美大とか通いたかったけどさ、うちの家族や親戚は学校関係者が多くて、美大の美の字も口に出せんような環境やった。両親とかも「コウジは学校の先生になる」ってずっと思っとったみたい。やけん、たまに描いた漫画とかを友だちには見せよったけど、両親の前ではひたすら受験勉強してさ、教職課程のある熊本の大学に入学したっちゃん。でも結局、あんまし馴染めんかったような気がする。まあ、おれはどの集団にも馴染めんっちゃけど（笑）

卒業した後、その当時の彼女が、パリで生まれ育ったベルギー人なんやけどさ。彼女が留学終わって帰国するって言うけん、一緒にパリに行ったったっちゃん。現地でフランス語を勉強して、ツアコンでもするかな、それとも服とか雑貨とか好きやったけん買い付けの仕事でもするかな、とか考えとって。まさか絵でお金をもらうなんて思っとらんやった。いろんなアルバイトして食い繋いどったんやけどさ、好きで描いとった絵を見た友人とかから、何となく仕事が入るようになったっちゃん。それで、だんだん個展とかやってみようかな、ひょっとしたら絵を売ったお金で生活していけるかもなって、思い始めたと。

4、5年フランスに住んだ後、帰国して福岡に住み始めたっちゃん。ちょうどその頃、友だちの美術作家からグループ展に誘われたと。他の人はどがん作品出すか知らんやったけど、自分は大学で社会学科におって、水俣病のこととか専門にやったりしよった。だけん、社会問題とか政治的問題とか、そんなのをテーマにしたコンセプチュアルなものを作ったら面白いかもなって思ったと。人と違った、割といいものができるんじゃないかなって。ほら、美大とか行った人に比べたら、絵は独学でしょぼいけんさ。得意分野を活かそうと、姑息に思ったわけやね。

そいでさ、当時は従軍慰安婦の問題とか取り沙汰されとったりする時期やったけん、そっからイメージ膨らませてさ、〝虐げられとる女性〟の立体像を作ろうと思ったと。段ボールでさ、足元に新幹線の模型をぐるぐる走らせて……あ、新幹線は男根の象徴ね。

まあ、若くて血の気多かったし、その頃毎号読んどったのって左翼系って言われとる『世界』や『週刊金曜日』やったしさ。軍だとか国家とか男性社会とか、当時は今にも増して、あからさまに敵対心持っとったっちゃんね。

で、そんなんでマンションの六畳間でさ、段ボール切っては貼り、切っては貼りして像を作りよった。そしたらさ、たまたまなんかの用事で来とった父親が、その様子をビデオカメラで撮影しとったと。それが、ちょうど女性像のお尻の部分を作りよる時でさ。後からビデオ見せてもらったら、どう見ても、ただお尻を撫で回しとるスケベな男の姿が映っとる（笑）

まあ、実際にしたってさ、女性像作っとる時は一心不乱で、慰安婦の人たちの心情とか苦しみとか、そんなもんほとんど考えとらん。考えとるのは、どちらかといえば、いかに〝きれいな身体〟を作るか。だから、立ち位置としては〝買春する男〟とあんまし変わらん。

だってさ、女性が性的に虐げられとる社会に憤りを感じる自分がおるかと思えば、その虐げられて崩れ落ちる女性の姿に、どこか色気を感じてしまうダメな自分もおるわけやん。そういう自分の〝けしからん〟部分には蓋をして、特定のものだけ取り出して、それをテーマにして表現するのは、自分にはなんか合わんと思ったと。それよりもさ、自分のいろんな部分、いいも悪いも全部を、そのまま出すようにした方がいいっちゃなかろうかと思ったたっちゃん。

吉本隆明って人がおるっちゃん。聞いたことあるかも知れんけど、思想家でさ。その人が「自分の拳の大きさ以上の思想を語るな」みたいなこと言っとったと。それを本で読んで、自分なんかの拳なんて、ほんとちっぽけなもんやけんさ、それに合わせた表現をした方がいいっちゃなかろうかって思ったと。もちろん、絵を描くこと以外では、政治的なことや社会的なこと、いわゆる〝大きな〟こと、問題とかについても話すし、むしろ話さんといかんと思うけど。ことキャンバスの前では、なんちゅうか、自分の拳の大きさで描こうと思ったわけさ。まあ、そんなわけで、結局そのグループ展は断ることにしたと。

そいじゃあ、自分の全部を出す、己が拳の大きさで描くには、どうするか。ってことになるんやけどさ。こと自分の場合に限って言うなら、〝頭で何も考えん〟ってことが大切な気がすると。朝起きて、花が描きたくなったら花を描いて、人物を描きたいと思えば人物を描いて。ドクロが描きたくなりゃあ、画面のどっかにドクロを描く。

で、話ちょっと飛ぶけどさ。そのドクロのマークが未来都市のあちこちに出てくるシリーズものの絵を描いて、長崎で展示しとったと。そしたら年配の女性がそれを見てさ、時期が真夏だったせいもあると思うけど「このドクロは、原爆で亡くなられた方の象徴なんでしょうか？」って真顔で尋ねてこらしたと。「えっ？」ってなってさ。で、その後、数週間たって今度は熊本で同じものを展示したっちゃけどさ。そしたら今度は女子高生が大声で「きゃあ、アジサカさんもドクロ好きなんですかーっ。ドクロキャラってカッコいいですよねー」って。

面白かよな、こっちは、特に何も考えずに描いとるのに……って、そう思ったと。ただ、何も考えとりはせんとやけど、自分の心の中に戦争で亡くなった人を悼む気持ちもあれば、漫画やアニメに登場する〝ドクロ〟がかっこいいと感じる心もあるわけやん。そういうのを、なるだけ全部出すようにすると。全部出すにはさ、何も出さん、何も考えん、ってことを心がける。そうしとったら、ありがたいことに観る人が勝手に観てくれる。100人おったら100人の見方、受け取り方をしてくれる。

もちろん、なんか一つテーマを決めて、それを受け手に届けるのも大切なことって思うっちゃん。でも例えば「この絵は、原爆で苦しむ人を描きました」って言ったら、そこに一本の線が引かれるやん。それが伝わった、伝わらんの話になってしまう。一本の線の力強さってのはあるし、それに憧れる気持ちも多分にあるけどさ、自分にはあんましそぐわんと。やけん、今みたいな描き方になってった。もともと大した才能があるわけやないしさ、自分の全部、あらゆるものを総動員して表現していくしかなかもんね。

おれなんかの描く人物ってさ、基本的に無表情っちゃん。でもさ、無表情って、見方を変えりゃあ、あらゆる感情、喜怒哀楽が混じっとるってことやん。だけんが、人によっては嬉しそうに見えるし、反対に悲しそうにも、何かに怒っているようにも見えたりする。そういう顔が、自分は〝いい顔〟って思うんよ。

さっきの話ともつながるけど、おれなんかより受け取る人の感じ方の方が、ぜんぜん豊かと思うっちゃん。やけん、絵を見る人は自由気ままに、それぞれの仕方で感じてもらったら嬉しいし、その感じ方を聞くのがめちゃ楽しいと。

絵描き稼業

「アジサカさんはいつ絵を描くんですか?」ってたまに聞かれるけど、ずーっと描いとると。のべつまくなしにずーっと。で、描く合間に泳ぎ行ったり子どもらと遊んだり、ご飯食べたり。夜の間は全く描かんね、とっとと寝る。雨の日や暗い日は電気つけるけど、自然光で描く感じやね、日の出から日暮れまで。

もちろん、気分の波もあるけど、悲しいなら悲しいなりの絵ができるし、嬉しいなら嬉しいなりの絵ができる。心の状態は関係なかよね、描く量も変わらんし。むしろ、けっこう打ちひしがれて辛い時とかに筆動かしとったら、気分が和らいで楽になったりする。

気をつけとるのは、身体のことやね。やる気があってもさ、体力なかったら長く集中しては描けんもん。ここ20年くらいはだいたい欠かさず、週に2、3回はプールで泳ぎよる。コロナ流行った時は泳げんけん、かわりにランニングしとった。ちょっと身体が疲れたなっちゅうくらいが、絵を描くには調子がよかごたる。

あと、農家の人とか漁師さん、大工さんとかはさ、身体使って汗流して働くけん、労働の実感や心地よさみたいなものを味わえるかもしれんけど、悲しいかな、絵を描く仕事はそんなに身体を動かさんよね。やけん、泳いだり走ったりしてさ、それを労働の一部として補っとるってのもあるかもしれん。贅沢かつ難儀な話なんやけど。

むかしから絵を描く時は、座らんと立って描くっちゃん。そう言うと、人によっては驚かれたりするけど、何でかそうしとる。でもちょっと考えてみたら、それも自分のやってることを〝労働〟に近付けたいっていう無意識の表れなんかもしれんよね。

仕事場は、今住んどる普通の公営住宅の六畳間で、そこで絵を描いとるとやどさ。窓の下に宅配の人とか、草刈りしとるシルバー人材センターの人とか、道路工事の人とかが垣間見えたりするっちゃん。こっちは冷暖房効いた部屋でお気に入りの音楽なんて聴いたりして、ふんぞりかえって偉そうにチャチャって筆動かしとるとにさ。片やその人たちは、日照りや寒風の中、身体くの字に曲げて働いとらす。

もちろん自分ではふんぞりかえりも偉そうにもしたくはないっちゃけど、お天道様から両者を見るなら、どう見たって偉そうやもん。やけんなんか、後ろめたくなると。ちょっとばかし人よりうまく絵が描けるけんってこれで生活しとるけど、なんかタラっとしとるよなって。やけん、立って仕事することで、その後ろめたさをちょっとでも薄めたいのかもしれん。

絵を描いてる途中さ、疲れて休もうかなってふっと窓の下を見たら、おばあちゃんが道路で誘導とかしようすと。そんなの見て、ああって気持ちを入れ直して、休むのやめてまた描いたりするもんね。

もともと身の回りの家事とかするの嫌いじゃなかったし、今でもだいたい、日常の買い物は嫁さんよりおれがするのが多いっちゃないかな。「牛肉なら土曜日、この店がいい」とか、「しめじ、こんな値段なら別の八百屋さんに行ってみよう」とか、「あそこは5時過ぎに行ったら刺し盛りが半額になるぞ」とか、そんなんがいつも頭に入っとる。

買い物は、だいたいガキンチョたちと一緒にやることが多いかな。嫁さんが仕事の日は、3時頃になったら近所まで幼稚園バスを出迎えにいかにゃならん。そしたらもう仕事はできんし、家で遊ぶのも飽きるけん、電動自転車に乗っけてちょっと遠方の道の駅みたいなとこまで足伸ばすっちゃん。途中、公園で遊んだり、神社の木陰でアイス食べたりしてさ。そいで夕飯の買い物して、5時頃に帰宅するって感じかな。

そっから7時までは嫁さんに「ごめん、あと2時間仕事させてくれ」ってお願いしてまた仕事に戻る。彼女が子どもらの面倒みながら夕飯の準備するまで、貴重な2時間やね。なんでかこの夕暮れのひと時が、1日の中で一番調子よくなるっちゃん。めちゃ集中して、ぐぐぐーって絵を描く。7時になったらガキンチョらが呼びにくるけんが、キリのいいとこで筆置いてご飯食べて、風呂入ったら、もう寝る時間よね。

嫁さんの仕事がない日は迎えは任せて、昼ごはんを食べたが最後、ほとんど部屋に籠ったっきり休まんでずっと絵を描き続ける。途中でトイレとか行こうもんなら、帰宅した子どもらが「あー、お父さん出てきたーっ！」ってわらわら寄ってくるけんが。なるべくトイレ済ませて、飲み物とかも確保して、気配を消しとる（笑）

もちろん、家族の体調が悪かったり、嫁さんが忙しかったりすると、絵を描く時間が十分にとれんこともあるばってん、しょうがなかよね。

直感を信じて従う

絵を描くときには、あんまし考えて描かん方がいいっちゃんね。描き終わった後に、「あ、こんな絵ができた。これはこういうことだったのか」って分かるのがいいと。

とにかく〝自分〟っていうものを出さないのが大切っちゃん。それがうまくできると、いい絵ができる。もちろん、おれにとってのいい絵やけどさ。

でも、絵を描いてると、だんだん自分が顔を出してくると。考える自分が出てきて「ここは青で塗ったが爽やかだぞ」とか「髪の毛は流れるように描いたがかっこいい」とか、口を出してくる。そんな風に前にしゃしゃり出てくる自分を、出てくるはなからどんどん叩き潰すっちゃん。このヤローって、モグラ叩きみたいに。で、叩きよったら最終的には、なんとか一枚の絵が仕上がっとる。

あのさ、熱いヤカンがあるとするやん。触ったら反射的に手を引っ込めるよね。「このヤカンは熱い、火傷するから指を離そう」とか考えて行動はせんもんね。絵を描くのもそんな感じで、最初に浮かんだことをサッと描いていくと。「この部分は、どう考えても赤く塗ったらおかしくなる」って脳みそが判断しても、最初に赤が浮かんだら、迷わずそれに従って赤で塗る。直観を信じる。

だってさ、「赤を塗ったらおかしくなる」って頭で考えて下した判断とかさ、おれなんかが、たかだか50数年生きてきて得た知識とか経験から出たものやんか。でも、瞬間的に浮かんだ色って、熱いヤカン触って手を引っ込めるのと同じでさ、ミジンコとかオケラみたいだった頃、太古の昔から培われた生き物としての反射やん。片や50数年、片や何万年やけんね、そっちを信じる方がいい絵が描けるに決まっとる。なんか突拍子もなか説明やけど（笑）

あのさ、イチローっておるやん、野球選手の。そのイチローがさ、ちょっとしたスランプになった時、何とかそれを脱しようって、新しいバット選びに行くっちゃん。なんかすごいバット職人の工房みたいなとこ行ってさ。そしたらこう、何本もバットが箱の中にささっとってさ、一本一本手にとって、軽く振ってみたりしていくと。しばらくそうしとったら、そのうちの一本手にとった瞬間に「あ、これだ！」って感じるっちゃん。

でもさ、振ってみたらぜんぜん身体に馴染まんと。なんかギクシャクする。でもさ、イチロー凄いのは「このバットは正しい。自分の今の身体の方が正しくない。なら、このバットに自分の身体を合わせていこう」っていう風に考える。自分の直感を信じて、それに従うと。で、まあうまくいって、そのバットでばんばんヒットかっ飛ばすようになるっていう話なんやけど。うろ覚えやけん、少し違っとるかもしれん。ともかく、彼のさ、直感を信じ切る力の途方もない強さにびっくらこいたと。びっくらこいたと同時に襟を正して「これは見習うべきだ」って思ったっちゃん。

まあ、何十年も前からブルース・リーとかに「Don't think, feel!（考えるな、感じろ！）」って言われてはおったけどさ。まさかそれが、自分の仕事にとって最も大切なことだっていうのは、ぜんぜん分からんかった。

探さない。見つける

ピカソが残したよく知られとる言葉に「Je ne cherche pas je trouve（私は探さない。見つける）」っていうのがあるっちゃけどさ、それなんかもおんなじようなことを言っとるっていう気がする。探すっちゅうのは、頭の中に鍵なら鍵のイメージがあって、それを頑なにただあちこち探すだけで、心には全く自由がなかよね。自由がないけん、なかなか見つからん。たいてい「まあ、いいや」ってあきらめて別のことやってたら、意外なとこに落ちとったりする。

でも見つける時の心ってのは全く自由でさ、何も探しとらんし、何も見つけようとしとらんのに、それがひょっこり現れる。想定もなんもしとらんけど、自分にとって役に立つものが向こうの方からやって来る。

「あ、これいいやん、使えるやん！」って、そうやってやって来たものを、逃さずに使うと。やけんさ、自分なんかの描き方としては、「見つける」「描く」「見つける」「描く」をずっと続けていくと。見つかるまでは、それが何であるか分からん。見つけたあとに、ああこれだって分かる。例えば、色やったら、パッと目の前に赤色がよぎるやん。そしたらパレットの赤色絵具に手伸ばしてそれを筆につけて、キャンバスの上に置く。赤色がよぎった直後に紫色とか他の色がよぎったりするけど、それは無視。最初やってきたものを掴む。

もう、最初にやって来たものが一番いいって信じると。熟考とか一切せん。もちろん、最初に来たものが本当にいいかなんて、そんなの分からんとやけど、それがいいんだ、正しいんだって、信じる力みたいなのが大切って気がする。

でさ、不思議なことに、長年そういう風にしてると。してるっつうか、するように努力してると、さっき言った、「目の前をよぎるもの」が、意外かつ想定外であればあるだけ、いいものであることが多いっちゃん。よぎった時には「えー、まさか、そりゃないだろ」って感じるものほど、後から見るといいものであることが多いと。絵を描き始めてからずっと何年も「そりゃないよね、じゃ、別の……」ってやっとったんやけど、それじゃあんましうまくいかん。そういうのがだんだん分かってくるっちゃん。

というわけで、この話を自分なりにまとめると、まず色とか形とかは〝思いもよらない〟ものほどいい。そして、思いもよらないものであるにもかかわらず「これこそが正しい」と強く信じさせられるものほどいい。ってことになるっちゃんね。経験的には、恋愛に近いばい（笑）

まあ、ともかくそんな風に絵を描くように気をつけとったらさ。だんだんなんとなく、絵を描く上で大切なことと、生きる上で大切なこととが、けっこう合致しとることに気がついてきたと。

「いい絵を描くことと、よく生きることが一緒」

なんか気取っとって、自分で言っといて赤面しそうになるけどさ。でも、まあ他の人は違うかもしれんけど、おれなんかの場合はそうっちゃん。やけんが、いわゆるいきいきと日々生活しとったら、絵もいきいきとするし、絵をいきいきと描きよったら、生活もいきいきとしてくるよね。

そぞろに描く

あと、大切なのはそぞろであること。片手間で、いい加減で、不真面目に描かんといかん。ほら、ラーメン屋さんの看板に「一生懸命仕込み中」とか書いてあったり、バンドのリーダーが「今回のアルバムは魂込めて作りました」とか言っとったりするけど、あれとは真逆たいね。

料理とかでさ、レシピ見て材料揃えて指示通りに作ったのに、なんでかおいしくなかったりして。でも、冷蔵庫開けて残りもので適当に作ったら、すごくうまいのができちゃった、ってことあるやん。ゆめゆめ魂とか気合いなんてもの込めたりしちゃいかんし、〝こうしたらこうなる〟って頭で考えたり想定したりしちゃいかんと。

適当に鼻歌とか歌いながら筆動かしとって、気がついたら、あら、いつの間にかこがん絵ができとったっちゅうのがいいと。そんな風だと、なぜかしらいい絵が描ける。

でもさ、そぞろであるのってなかなか難しいっちゃんね。やけん、そうなるためにいろいろ工夫する。例えばさ、絵はいつもたいてい5枚、6枚、同時進行で描きよるっちゃん。一つの絵ば描きよってさ、ちょっとでも考え始めたら、「あ、ヤバイっ」ってその絵は中断して他の絵に移る。ひとつに固執するとろくなことなかけんさ。あとはスピードも大切。速く描く。頭に追いつかれんように、手だけに仕事させるようにするっちゃん。

20年以上だいたい毎日描きよるけんさ、だんだんと〝そぞろ状態〟になる工夫ができてくるとけど、まだぜんぜん上手にはできんし、若い時分なんてまったくできんかった。つうか〝そぞろ状態〟も何も、そんなのが大切だなんて夢にも思わんかった。一点に集中して熟考して、こうしたら見栄えがよくなるとか、これやったらみんなびっくりするやろうとか、あれこれ頭ひねらせながら描いとった。考えながら描くのが大切なんだって思っとった。でも、それじゃあ、ぜんぜんうまくいかんっちゃんね。最初に「ここには赤色だ！」って感じても、それを信じきる力、頭で考える前に赤色に手を伸ばして即座に塗る速さ、そんなのが足りんかった。

まあ、それでも他にやることなかしさ、描き続けとったら、だんだんと、〝直感に従っとったらうまくいく〟ってのが分かってくるとけど。分かっとってもいざやるとなると、なかなか難しいっちゃんね。何回も失敗して、経験積んで、直感を信じる力みたいなのを養わんといかん。

例えばさ、めちゃ深い渓谷にコンクリートの頑丈な橋と、丸太のか細い橋が架かっとったとするやん。当然みんなも自分もコンクリートの橋を渡ろうとするんやけど、時々、直感が「丸太の方を渡れ！」って言うことがある。そしたらばそれを信じて丸太の方を渡れるのか、っていうのが問題っちゃんね。

描きはじめの頃は直感がどう言おうと、みんなと同じコンクリートの橋を渡りよった。渡りよったんやけど、なんでかこれがうまく渡れんと。橋がクネクネ迷路みたいになってたり、途中で行き止まりになってたり、ときには崩れ落ちたりさ。でも、半ばやけくそで直感どおり、丸太の方を選んで歩を進めたら、あっという間に橋を渡って向こう側についてたり、橋がグワーンって伸びて山を3つくらい飛び越してしまう、ってことが起こったっちゃん。つまり、予期せぬいい絵が描けたと。

そんなこと何回も繰り返しとるうち、今はようやく丸太の橋を、ふつうに歩いて渡れるようにはなったかな。まだ風景楽しんだり、口笛吹いたりする余裕はなかけどさ。

で、あらためて〝直感に従う〟ってことやけど、それってつまり、野生の猿とかに近くなるってことよね。人間から遠くなる。だって人が人たる所以の理性とか知性とか、そんなのに頼らんとやもん。猿と人間の中間みたいな幼児の描く絵って、どれもよかよね。直感でしか描いとらんけん。でも、それは子どもが描いた絵、強いて言うなら子どもだったら誰でも描ける絵で、美術作品としては成り立たん。やけんさ、いい絵が描けるには一旦いっぱしの人間、大人になって、その後猿になるっていう段階を踏まんといかん。

美術とか芸術ってめちゃ人間的な行為って思うとけどさ、いいものを生み出すには非人間的に、野生にたち返る必要があるっていうのがミソっちゃんね。面白かよね。もちろん、おれ自身の経験、自分が絵を描くってことに限っての、手前勝手な話なんやけどさ。

絵描き中毒

ところで、〝みんなコンクリートの橋渡っとるのに、独りで丸太の橋渡る〟って話したけどさ。振り返ってみたら、そんな性分は昔からあったっていう気もするっちゃん。だってさ、もの心ついた時からプラモデルとか病的にうまくできんと。ほんと、魔法とか呪いにかかったように間違ったことしでかす（笑）接着剤ははみ出すし、いらんとこ切るし、くっつけちゃならんものくっつけるし……工程とか手順とか段取りとか、そういうものが目の前に置かれたら、そっからはみ出そうって身体が動いてしまうと。気をつけとるのにあらぬ方に行ってしまう……幸いにも少し絵が描けるけん、なんとかそれで食べていけるけど。会社員みたいな、いわゆる普通の仕事はまったくできんよね。だけん、自分なんかの場合、絵が描けるっていうよりも、描かざるを得んっていうような感じやね。で、その〝描かざるを得ん〟っていうのは今話したのとは別の方向からの話もあってさ、なんちゅうか、絵を描いとかんとうまく生活ができんと。ある程度の時間、筆を動かしとかんことには、心が落ち着かん。イライラしたり、人に邪険になったり、世を僻んで生きる気力が失せたり、もうほんと、だめだめ人間になってしまう。

それで筆に手を伸ばして絵を描くとけど、言ってみればこの状態って、アルコール中毒とか、ギャンブル中毒とか、色恋の中毒とか、そんなのとあんまし変わらんよね。幸運にもそれが、絵を描くことだっただけでさ。

ちょっと前にさ、2週間とか野暮用で実家に帰っとって、ずっと絵を描けん時期があったっちゃん。そいでもう禁断症状みたいに、鬱々イライラしちゃってさ。自宅に戻るなり靴脱いで、ハアハアとか言いながらすぐにチューブから絵具絞り出して、とりあえず手当たり次第、なんか描きはじめた。側から見たら、マジでなんかの薬物依存症やもん（笑）

誰かから頼まれたわけでもなかとにさ、滅多に売れもせん絵をどんどん描いて、はっと見たら、「これいつ描いたっけ?」っていうような絵が所狭しと転がっとる。もう、なんか作品っていうよりか、飲み干した酒瓶に見えるもんね。

アルコールとかギャンブルの依存症やったらさ、社会的に蔑まされて、周りからちゃんとしろとか言われる。けどさ、こっちはたまたまそれが絵を描くことやけん、どっちかというと尊敬されたり、褒められたりする。心の傾きとか、偏り具合は、そう変わらんとにさ。

やけんまあ、それで食べていけるのはすごくありがたいって思う一方で、ある種の依存症や、病的な偏りを持った人は、同類みたいな感じがすると。絵を描くのは楽しい、同時にそれがないと不安っていうのは、まさしくお酒に似とるもんね。でも、それを生業に生活しとるけんが、描いたものはなるだけ多くの人に買ってもらわんといかんし、イラストとかの注文も受けて、描きたい気分じゃないものも描かんといかん。

そもそもは描くこと、それ自体が楽しみなんよ。それ自体が楽しみやけん、描き終えた時点で楽しみは完結しとる。床に積み重なった絵が空いた酒瓶に見えるのは、そんなのも理由じゃなかかなって思う。ただ、ものすごくありがたいことに、その酒瓶を見て「ラベルがいかしてるよね」とか「瓶の色と形が面白いよね」とか「眺めてたら気が晴れた」とか言ってくれる人がおる。そんな反応は、めちゃ嬉しかし、幸せな気分になる。やけん、すごく横着な言い方やけど、酒瓶は捨てんで、時々個展とかやって人に観てもらう。感想やなんかを聞かせてもらう。それは描くこととは別の、また大きな楽しみやね。

ほかの誰かにやってもらうみたい

描くときは資料みたいなものを並べて見たりすることもあるけどさ、どんな絵になるかは、描き始めてみらんとまったく見当もつかん。最近なんかは資料もなんも見らんで、まずは白いキャンバスに薄く、適当に色を置いていくと。そうしとったら、ほら、草っ原に寝っ転がって見上げる雲みたいにさ、ウサギとか潜水艦とか、座ってる人の姿とか奇妙な建物とか、いろんなものが見つかるけん、見つかったものを描いていく。

なんも見つからんくなったら終了。ひとまずは筆を置く。置いて、改めて目の前にある絵を見て、「おお、こんな絵ができたか」って鑑賞すると。で、前の絵よりよく描けてたら嬉しいし、よくなかったらちょっと凹む。不思議なことによく描けたって思う絵ほど、描いてる時の記憶があんましないと。なんか筆が勝手に描いたっちゅうか、絵が絵を描いたっちゅうか。

たぶん前にも言ったように、よく描けた時は〝自分〟っていうのをうまくなくせとったんやろうけどさ。描き終わってみても、満足感だとか充足感みたいなものはあんましなかよね。だってちっとも自分で描いた心地がせんとやもん。反対にさ、うまく描けんかったら、「うう、おれはなんてしょぼいやつなんだ」って自責の念にさいなまれる（笑）どんな仕組みやねん！って突っ込みたくなるんやけど、そういう風に心ができとるみたい。

ともかく、そんなこんなで個展とかでたまに「アジサカさん、この花の絵すごく素敵ですね」とか褒められても「あー、でもおれが描いたわけじゃないんやけど……」って思ったりする。逆に「昔と比べて勢いがなくなったよね」なんて不評を耳にすると「うう、おれはダメなやつだあ、修行が足りん……」って落ち込んでしまう。

グレーな状態

さっき、ちょっと面はゆい言い方やけど、いい絵を描くこととよく生きることが繋がっとるっていうような話をしたやん。で、その両方をよくするために心がけとることが、いくつかあると。そのひとつが、なるだけ物事に白黒つけないってことっちゃん。モノだとか人だとかを先入観で決めつけたり、線引いたり、自分の引き出しに勝手に収めようってせんようにすると。「東大卒やけん頭いい」とか「身なり悪いけん変な人」とか「包みがきれいやけん中身はうまいはず」とか、そんな風に見た目や肩書きなんかで分別するのは、なるだけせんようにする。

まあ、分別したり分類したりするのって、生きる上ではめちゃ便利やんか。白、黒、右、左、上、下、貧、富ってさっさと分けてレッテル貼っとってさ、それぞれにふさわしい対応をする。「黒だ、悪いやつ、用心しよう」とか「上だ、ペコペコしとこう」とか「貧だ、遠ざけよう」とかって具合にさ。ぱっぱっぱって、考えなしに物事を進めることができる。

でもさ、見た目じゃ分からんよね。リンゴはガブってかじってさ、人は会って話してみんとさ、分からんやん。引き出しは便利やけど、入ってるモノそれ自体の豊さだとか可能性みたいなものも、一緒に閉じ込めてしまうっていう気がするっちゃん。

その点、子どもなんか見てるとよかよね、分別ないけんさ（笑）ゴボウや長ネギでチャンバラするし、どこでも裸足やし、ベンチで寝とるおっさんに話しかけてくしさ。高級菓子とか口に入れても、まずけりゃぺっと吐き出してしまう。でも分別ないが故にさ、自由やけん、どんどん世界が拓けていくよね。まあ、でもこっちは大人やけんさ、そうもいかんとやけど。絵を描くときは特に、自由な状態ってのは大切やけん、なるだけ物事には白黒つけん、どっちつかずのグレーな状態にしとくと。

執着しない

よく生きるために執着せんっていう話をしたけどさ、そうは言ってもなかなか難しかよね。今やっとこさ「執着心はなくしたほうがよく生きられるみたいだぞ」っていうのに、遅まきながら気が付いたっていうレベルやもん。普段からなるだけ物事に執着せんようには心がけとるものの、実際にできるできんは別の話で、なんか調子悪かったらいろんなものに囚われたりするもんね。

そもそも、執着しないってことに執着しとるけんね。「無心」って書いて壁に貼って弟子たちに説いとる剣術の先生みたいに「無心」に囚われとる（笑）

あのさ、中島敦の『名人伝』って知っとる？　めちゃ好きな小説なんやけどさ。修行して修行して、弓を極め尽くした果てに、ついには弓の名前も使い方も忘れてしまうほどになるっていう話なんやけど。執着心ゼロ。そんなのには、憧れるよね。極めつくした後に見える世界はどんなのかなあって……。

自分という形の穴

小津安二郎って映画監督おるやん。彼が残した言葉でさ「どうでもよいことは流行に従い、重大なことは道徳に従い、芸術のことは自分に従う」っていうのがあるっちゃけど。おれなんかで言うなら「どうでもよいことや重大なことは自分に従い、芸術のことは自分以外のすべてのものに従う」っていう風になるっちゃん。

自分をなくしていって、自分以外の世界のあらゆるものに、共鳴し共振し共感する。そうしとったら、なんでかよく知らんけど、自分の個性ってものがうまく作品の中に出てくると。やけんさ、個性的な表現とか、個性を伸ばすとか尊重するとか、そういう時の自分の個性ってどんなのかって考えたらさ。なんか〝自分という形の穴が空いた世界全体〟っていう感じがするっちゃんね。そう考えるとなんか腑に落ちる、しっくりくる。

そんなことをさ、なんかの話の流れでパリに住んどる兄貴分、ジャズのドラマーなんやけど、彼に話したっちゃん。そしたらさ「あ、その感じ、なんか分かる」って言っとった。ジャズとかダンスとか、そんな即興畑における人らには、なんか通じるとこがあるかもしれん。

あとはさ、こんな例を挙げると、世界中の詩人と日本のちゃんとした右翼の方々から天誅がくだりそうで怖かっちゃけど。北一輝って、戦前の日本の思想家が残した言葉で「あ、自分が絵を描くときの感じに近いかも……」って思ったのがあったっちゃん。暗記しとるけん、言うね。

「おれはゲーテなんだ。おれの学問には体系はない。おれは窮屈なシステムなんか持っていない。

しかしあらゆることに共鳴する豊かな感情を持っている」。
かっちょよかやろっ。天誅くだらんといいんやけど（笑）

サインは無し

これはもうずっと前からそうしとるとけど、絵に自分のサインとか入れたりはせんと。さすがに裏には書くけどさ。なんか「俺が描いたんだぜ」ってあからさまに言うのに気が引けるっちゅうかさ。ずっと話しとるように、自分で描いた気もあんましせんしさ。©マークとかも苦手やね。たまに雑誌とか新聞の取材で、絵を使わせてくださいって頼まれることがあって、向こうが気を利かせて、絵の横に©マーク付けとったりさすことがあるっちゃん。そん時は、いらないからとってくださいって言うもんね。

以前、熊本の街をブラブラしとったらさ、一緒にいた友だちが看板かなんか見て「あ、こうちゃんの絵だ！」って叫んだっちゃん。でもおれ、そんなイラスト描いた覚えないと。ないっちゃけど明らかにおれ風（笑）その友だちはいきりたってさ「そりゃ抗議せんばやん、電話しーよ！」って腕引っ張るんやけど、その気持ちがぜんぜん分からんでさ。どっちかっていうと、真似されて嬉しかったっちゃもん。なんかニヤけてしまっとった。本当はそんなのじゃいかんとやろうけどね。どうにも著作権とか、コピーライトとか、あんまし馴染めんとやもん。

そんな風やけん、個展会場とかの撮影禁止っていうのもよう分からん。自分でやる時には会場のどっかに「展示作品の撮影は断りなくご自由に」って書いた紙を貼るようにしとる。それでも「写真撮っていいですか？」ってよく聞かれる。だって、絵を描くのって、いろんな人に観てもらいたいけんしとる。もちろん、それで商売されたりしたらちょっと困るけど、個人が普通に作品撮って後から眺めたり、人に見せたりすんのって、大歓迎よね。携帯の待ち受けとかラインのサムネイルとかさ、たまに自分の絵にしてくれとるのを目にしたりするけど、めちゃ嬉しかもん。

一番理想的なのはさ、〝Kiroro状態〟。いったい何やねん、それ？ってなるやろうけど。むかし、実家におる時さ、寝転んで漫画とか読みよったら、いきなり母親がやってきて「コウジ、あんたKiroroって知っとるね？　さっきラジオから流れてきたっちゃけど、よか歌よーっ」って言うっちゃん。

絵は音楽と違うけん、同じようにはいかんけど。路上にさ、絵が一枚ぽつんと落ちとると。たまたま通りすがりの人がそれを目に留めて、「誰が描いたか知らんけど、よか絵やけん持って帰ろ」って拾う。そんな感じがいいっちゃんね。無名で、作品だけ知られとるような。

でもさ、今の世の中は逆っちゅうか、この人の描いた絵だからいい、この人の歌う音楽だからいいって、まず人から選んでいく風潮があるよね。それって、作品自体を見る目があんまし育まれんような気がすると。この人を追っかけとけばいいっちゅうのは楽やけど、ちょっと危うい気がするっちゃんね。

だって、人って凸凹しとるやん。悪い面もあればいい面もある。覚醒剤やったけん音楽配信をストップするとか、不倫したけんもう映画に出さんとか。特に日本はそういうのが強いように思うと。それが庶民っちゅうものかもしらんけどさ、もう少し自分で判断できんと、世の中が変な方向に行った時、つうか行っとる最中やけど、ちょっと怖かよね。

あ、思い出した。フランスにミッテランって大統領がむかしおってさ、その人が在職中に不倫するっちゃん。囲み取材かなんかの時に記者の一人が「あなた不倫しましたよね？」って聞くんやけど、ミッテランひと言だけ、「で？」って返すと。

それ当時、ニュースかなんかで見とってさ。さすがフランス、本邦とは成熟度が違うぞって思った。「で？」ってさ、「大統領の仕事と私生活とはまったく別でしょ、何か問題でも？」ってことやもんね。

ひまわり

普段暮らす中で、例えばファストファッションよりも長く着られる服を買うほうがいいとか、大型商業施設ではなく地元の商店街で肉や野菜を買ったほうがいいとか、みんな何が大事かってことはけっこう分かっとるし、そういう言説も飛び交っとるよね。やけどさ、結局は便利さに負けてしまうやん。人ってさ、それが正しい行いって分かっとっても、正論だとか啓蒙だとか、そんなんじゃなかなか動かんよね。悲しいことにさ。

ミヒャエル・エンデって児童文学の作家がさ、現代美術家のヨーゼフ・ボイスと対談しとる『芸術と政治をめぐる対話』って本があって、これがめちゃためになると。その中でエンデが、「ベトナム戦争を終わらせたのは、プラカードとかデモとかではなく、ゴッホのひまわりだったのかもしれない」っていう風なこと言っとって、ガガーンってなったっちゃん。

人が動くのってさ、理詰めで平和や人権の尊さとかを訴える言葉なんかよりも、絵画とか音楽とか、そんなものに触れてもっと本能的に、根っこから動くことの方が多いっちゃなかろうかって気がすると。「あの人、言ってること正しいけど、話し方が好かんけんシカトしよう」とかさ。

SEALDsって覚えとる？　安倍政権に反対してデモとかやりよったやん。その代表メンバーの一人やった奥田くんっていう人が「よきカルチャーを作らなければいけない」っていうことを言っとってさ。〝カルチャー〟とか〝アート〟とか、あまり好きな言葉やないんやけど、それ聞いたときは、ひゃあって感心した。つまりこのカルチャーってエンデの言う、ゴッホのひまわりのことやもんね。

言うまでもなく、政治活動とか社会活動は大切とさ。自分も機会があれば、なるだけ関わるようにはしとる。でも、なかなか実を結ばんもどかしさがある。選挙の度に結果にがっかりして、暗澹たる気分になるし、なんでこんなめちゃくちゃやっとる権力者に黙って従っとるんやろうって憤然とする。

憤然としながら、そんなのとはまったく無関係の女の子のポートレートだとか、ヘンテコな自動車とかを描いとる。描きながら「差別禁止」「原発やめろ」「憲法9条を守ろう」とか、そういった言説になる前の段階で、人を良い方に導くようなもの、一言で言うと〝ひまわり〟なんやけど、そんなものが描けたらいいなと願っとる。

とは言ったって、見る人によっては「アジサカの絵を観たけん、ちょっと好かん奴を殴りに行こう」なんてことになるかもしれん。悪い方に導いたりするかもしれん。でも、自分としてはいい方向に向けたいって強く思っとる。

戦争とか差別とか弱いものいじめとか絶対好かんし、いけんことだって思う。でもそういう気持ちを強く念じたら、あとは懐にしまって、直接には表現せんと。何がしかの色とか構図とか、そんなものに形を変えて、絵に出てきたらいいって、そう願っとる。

でも一方で、人柄が作品を作るわけやないっていうのも十分に承知しとる。やけん「あいつはろくでなしやけど、ギターの腕はピカイチだ」とか「権威主義者で自己中の女やけど、書く詩には涙する」とか、そんなのにはちょっぴり憧れたりする。

あのさ、いきなりやけど、フィッシュマンズってバンド知っとる？ めちゃ好きっちゃん。その人たちとかさ、へらへらふわふわ自分の日常歌っとるだけなんやけどさ。聴いてると、なんかしらん身体が火照って、不思議と生きる力が湧いてくると。例えば、原発のこととか微塵も歌っとらんのに、聴いてると「今日はなんもやることないし、反原発デモでも行ってみるかぁ」って気になる。まあ、「やることないし、ビール飲んで昼寝しよ」ってなることが多いかも知らんけどさ（笑）

あとさ、つるしゅん。哲学者の鶴見俊輔のことやけど。彼がさ、晩年、体力めちゃ弱っとって、京都の自分ちの前の坂道かなんかをキツくて登れんようになった時があった。その時さ、もうダメだ……ってなったとき。不意に、むかし幼少の頃に歌っとった軍国主義の歌、「兵隊さんがお国のために〜」的な歌が、内側から湧き出てきた。その歌に鼓舞されて、励まされて、坂を上り切ることができたんだって。その歌は、リベラルな彼の思想的には〝けしからん〟モノやけど、そのおかげで助かった。そういう話をしとった。それ聞いて、なかなか考えさせられたっちゃん。

まあ、ともかくさ、右とか左とか白黒、善悪、そんな分別やら思想やらが始まる前の、「まずとにかく生きよう」って仕向けるようなモノが作れたらいいよなあ、ってそう思う。

だってさ、夕陽や花って何も考えとらんよね。ただ、うつろったり咲いたりしとる。思想もへったくれもない。でも見た人の心を潤わすし、元気にさせる。

計算通りにいかない面白さ

ホームページやインスタにいろんな作品を載せとることもあってさ、たまに初期の作品で手元に残ってるものないですかってメールが来ると。自分としては、明らかにむかし描いた作品はまだまだしょぼいなって思うとやけど、むしろそっちの方が好きなんですって言われたりする。そういう時は、ううむ……って見直して、「おれはいったい何を失ってしまったんだ……」って遠くを見つめたりする（笑）

ずっと描き続けとると、そりゃあ得るものの方が多かけど、悲しいことに失ってしまうものも少なからずあるごたる。

若い時分は、周囲のことが気になっておどおどしとるし、いろんな執着、有名になりたいとかバンバン売って儲けたいとか、そんなギラついたものがあるやんか。当然、〝そぞろに〟なんてもってのほか、一生懸命もんもんぐりぐり気合入れまくって描いとる。そんなさ、イヤな心意気が画面にも出とるみたいで、自分的にはよくないはずなのに、人によっては好んでくれる。

そいでまた改めて、先入観とかなしにそんな絵を見直してみるとけどさ。なんか今の自分には描きたくても描けんようなよさがあったりもするっちゃん。へーって自分のことながら驚いちゃってさ。

不思議なもんよね。若くて動機は不純やし、技術も未熟なはずなのに。

まあ、ミュージシャンだって、デビュー作がその人の最高傑作っての多々あるもんね。

おそらくはそんな〝不純なギラつき〟が、〝若々しさ〟とか〝みずみずしさ〟とか、そういった〝いいもの〟に形を変えて現れとるんやろうけど、一筋縄ではいかんし、望んでできるものやなかもんね。

でもそんな一筋縄でいかんとこ、目論見通りにはいかんとこが面白かし、生きてる価値もあるっていう気がするよね。だって計算通りに何かやって、その通りに答えが得られるって分かっとったら、人生面白くなかもん。

この世界って、不条理なこと極まりないやん。ちょっと周りを見渡してもさ、よか人ほど生活が苦しくて喘いどるし、金持ちで強欲で人をこき使って笑っとるようなやからが偉そうにのさばっとる。そんなの見て嘆いたり怒っとる自分にしたってさ、世界全体で見たら住むとこはあるし、とりあえず食うには困っとらんで、明らかに富者の部類の上の方に入っとる。

まあ、そんな矛盾だらけの人の世やけん。自分の仕事でいうなら、頑張ったけん、努力したけんっていい絵が描けるわけじゃないと十二分に分かっとる。分かっとるとけど、そうするのが心地よいけん、飯や酒がうまいけん、そうしとるよね。

絵意

自分の全部が出るように描く、全部を活用して絵を描くちゅうことは、制作するのに何が役に立つのか、影響があるのかっていうのは分からんっちゃんね。上手に描く人の絵を美術館で観たり、名作っていわれるような映画を観たりしたけんって、それで絵が上達するわけやなかもんね。

こうして人と話してたり、おやつにプリン食べたり、風で帽子がひゅーって飛んでったり、そういう日常の、何でもかんでもが役に立ったり立たんかったり。

そもそも、人間のインプットとアウトプットって、因果関係がはっきりしとるわけやなかよね。恵まれた教育環境で育てた子どもやけんって立派な大人になるわけやないし、いろんな経験が複雑に繋がっとる感じでさ。

前に個展にきた若いイラストレーターから「アジサカさんはモチベーションを高めるために、どんなことやってます？　映画とか他のアーティストの作品とか、よく観るんですか？」って聞かれて、うっ……って返答に困った。だって、何回も言うように、絵を描くのってご飯食べたり酒飲んだりウンチしたりするのと同じ、なんちゅうか、生理現象みたいなもんやんか。ウンチするのにモチベーションいらんもんね（笑）

そいでさ、おれはどっちかっちゅうたらすぐに影響受けてしまうけん。いい映画とか本、特に自分がやろうと試みていることに近しいような人や作品とは、なるだけ関わらんようにしとるよね。「あ、いるな。やばい、逃げよっ」って（笑）

だけんさ、絵や音楽や文学、どの世界でも他の人の作品をよく観たり研究したりする人がおったりするけど、そんな時間あったら自分の仕事すりゃいいのにって、ちょこっと思うよね。もちろん、それも自分の仕事の内なんやろうけど、それを仕事の内にできる余裕が、羨ましかったりもする。

だって、なんかこっちは毎日切羽詰まった感じやけん。四六時中、〝絵意〟があるもん。あ、便意とか尿意の仲間やけどさ（笑） まあ、本人はいいけど、周りは嫌よね。だって、いっつもそわそわもじもじしとるやつが近くにおるとばい。おれやったら、そんなやつと一緒におりたくなかもん。社運を賭けた商談の最中でもさ、夕陽の浜辺で好きな子が目を閉じて顔近づけてきた時でもさ、ウンチしたくなったらそっちが優先やん。ちゅうか、商談やキスどころやなくなるやん。そんないっつも、「それどころじゃない」やつが近くにおるとばい、めっちゃうざいやろ（笑）

たまにさ、気心知れた連中と飲みに行くと。楽しいけん話が弾むやん、盛り上がるやん。で、それ二次会だーってなるんやけど、たいてい「じゃ、ごめん、先に」ってとっとと帰ると。みんな「あれ、アジサカさん、楽しくなかったのかな。具合でも悪くなっちゃったかな……」ってなるけど、まるっきりその逆でさ。話が弾んだっちゅうことは、それだけいろんな刺激を受けて吸収した、つまりインプットが多かったわけやん。だけん、早く消化して外に出そうとせずにはおれんくなると。つまり、「じゃ、ごめん、先に。とっとと帰って寝て、朝早起きして絵を描かんといかんけん」ってことっちゃんね。

そんなわけでさ、常に描きたいことがこう、列をなしてずらっと自分の後ろに並んどる感じよ。この前は花の絵をいっぱい描いたっちゃけど、その後ろには人物だとか車だとか未来都市なんかが「コウジ〜おれのことも描いてくれよ〜いつになったら描いてくれるんだよぉお〜」って、ゾンビみたいに迫ってきよると（笑）

そんな緊迫しとる状況で、下手によか映画観たり小説読んだりしたら、さらに列が長くなるし、ゾンビどもが強大になるやんか。「うひゃあーっ、助けてくれー」ってなもんよ。
仕事上インスタグラムとかやりよるけど、他の人の絵とかはぜんぜん観らんもん。それは興味がないわけじゃなくて、観たらすぐに影響を受けてしまうけんさ。目に入ったが最後、心がざわざわざわざわして、ゾンビたちが増殖するとやもん。おれなんか、ゴッホがほんとうに好きやけど。数年前、国立博物館で大きな展示があった時、当然行かんかったもんね。そんなもの間近で観たら、後からヤバイことになるやろう（笑）
あとさ、実に恐ろしいことに。そんな風に〝絵意〟を押さえ込もうと周囲に気を遣っとっても、目の前で今描いとる絵や、描き終わった絵から、ゾンビが出てくるっちゃん。車の絵だったら車が「今度はかわいい女の子を乗っけてくれよー」って言ってくるし、バラの絵だったら、ガラス瓶にさしてくれとか、白百合の隣がいいとか、蠢き出してうるさい。
ただ、もうそんな感じやけん、〝出した〟時の気持ちよさも大きかけどね。あ、品がなくてごめん。

絵描きとしての憧れ

あのさ、描いた人と作品がさ、ぜんぜん似とらんっていうのに、けっこう憧れるっちゃん。絵に限ったことやなくて、音楽でも小説でもそうなんやけど。なんか、怠慢でだらけた生活しとるビール腹のおっさんなのに、描いとる絵は清々しい湖畔の風景だとか。逆に良妻賢母の清楚な女性なのに、描いとる絵はドロついた、人を刺すような表現やったり。そんなのに心惹かれるし、できたらいいよなっては思うけど、いかんせんおれなんかは、生活がある程度そのまま絵に表れとるっていう気がする。それは好きでそうしてるわけやなくて、そうせんとうまく描けんけん、不本意ながら自然とそうなっとる感じやね。

でもさ、洒落た服着たかわいい女の子とか描いとるけんが、個展に来た人から驚かれたりすることはあるよね。もっと若くてロン毛でシュッとした人が描いとるかと思っとったら、こんな60歳近くのハゲ坊主の男が出てきて（笑）違和感はちょっとあるかもしれん。カッチョいい車とか描いとるとに、本人は車も持たずチャリ移動やし、喋ってみれば方言丸出しやしさ。そういうのには、結構驚かれるよね。こんな人とは思っとらんかったって。それはどっちかっちゅうたら、うれしかよね。

あとさ、〝土臭さ〟っていうのにも憧れるよね。地面に近いところでさ、実際に手を動かして仕事してる感じの人に親近感があると。土を鍬でザクって耕したり、板を鉋《かんな》でシャーって削ったり、そういう身体を使った職業に憧れる。あとは、農業とか漁業とか、自然と関わり合う仕事。まあでも、鳥が鳴いとって川が流れとるだけが自然やなかけんね。例えば人間の身体も、ひとつの自然やもん。看護師や介護士やお医者さん、〝土臭い〟って言葉ではくくりにくかけど、そんな人たちも自分の中では、特にシンパシー覚える人たちかな。

ただ、憧れはするけど、実際には野菜作りとか全然できんし、花は枯らすし、釣りなんて行ったこともなか。〝大自然の恵み〟とか真顔で話されると引いちゃったりするし、ある種の土着性には抗いたくなる。もし本当に土臭さだけが好きなら、福岡の街にはおらんよね。都会的な洗練、かっこよさとかも大好きやもん。だけん、どっか田舎の山あいで自給自足しながら絵を描く、っていうのに心惹かれはするけど、自分には到底かなわん。

実際の仕事で言うなら、描いてる絵にはさ、自分が憧れてるところの〝土臭さ〟みたいなものを、特に持たせようとしたりはせんよね。でも、何気なく描いたものにさ、そういうものが自然と流れ込んでたらいいなとは願う。絵を観た人が、それが肖像画であれ、花や車であれ、なにがしか土の匂いみたいなものを感じてくれたら、そりゃあ幸いやね。

自然の力が干渉してくる絵

おれが描いとるアクリル画っちゅうやつはさ、ほとんど筆まかせやけん。ほら、行き先が決まっとらんけん、あっち行ったりこっち行ったりすると。やけん描いとる途中でどんどん色や線が重なっていくし、消したり足したり塗り潰したりを繰り返すけんさ、レイヤーがいーっぱい積み重なっとる状態っちゃん。デジタルのデータと違って、きれいに消してもまるっきりゼロになるわけやないけんね。消した痕跡っていうものがしっかり残る。

そんなわけやけん、新たに描いとっても、下に描いた絵の影響っちゅうのが常にあるっちゃん。黒で塗った部分を白で塗りつぶしたとしても、どうしてもそこはちょっとトーンが落ちるし。流れる髪の毛描いてたとこに、コンクリートの壁面とか描きよったら、壁面の肌合いがちょっとうねった感じになったりする。強く削ったとこはいつまでも明るいし、厚く塗った部分には色がのりにくい。そんなんがパソコンの画面上で描くのと違って不便なんやけど、同時に強みでもあるったい。

だってさ、こっちはツルッとした壁面描きたいんやけど、キャンバスがそうしてくれんとばい。「うねらせてくれー」ってさ。自分の力じゃない、別の力が加わると。キャンバスの面の有様ったって、ある種の自然やんか。自然がおれに押し寄せてくる、関わりを求めてくるっちゃん。その関わりとか駆け引きなんかが大変やし、楽しかよね。

で、関わりよったら、自分だけの力じゃ到底できんような、〝今、ここ〟でしかできんような絵ができる。〝今、ここ〟とか言うのちょっと赤面するけどさ。それに実際できた絵は大したことなかっちゃけど（笑）

まあ、成り立ちとしてはさ、こんな感じっちゃん。で、こんな感じで予想もせんかったような絵が現れるんやけどさ。なんかもう、こう、手を合わせて拝みたくなるっちゃん。

だってさ、どう考えたっておれがこんな絵描けるはずないって、そう強く思うと。きっと誰かが手伝ってくれとるに違いないって。だけん、どこのどなたかは存じませんが、とりあえずはその誰かに手を合わせとこう、ってそうなるっちゃん。

あのさ、「弘法筆を選ばず」ってことわざあるやん。あれってむかしはさ、達人は、よか筆だろうが悪か筆だろうが、同じように使いこなして立派な字を書く。そがん風に思っとったっちゃん。イメージとしては、こう眉根に皺寄せて、いかにも達人然とした面持ちで。ええい、しゅっしゅって書く感じ。

でもさ、なんかそれって違うような気がしてきたっちゃん。どんな筆でも同じように上手に書くっていうより、上等の筆なら上等の筆なりの、しょぼい筆ならしょぼい筆なりの、それぞれに合わせたいい字が書けるっていう感じかな。イメージとしては、なんかニヤニヤしながらさ、手にした筆に向かって、「さあ君は私にどんな字を書かせてくれるのかい〜」って鼻歌でも歌いながら、ふらふら書く感じ（笑）

海童道祖（ワダツミドウソ）って尺八の名人がおるっちゃけど、この人なんかさ、物干し竿の竹を切ったのやら、子どもに孔開けさせたやつとかを好んで、ブワーって吹いとった。これってさ、一本の竹っていう自然と戯れて楽しんどる感じがするよね。

あとさ、達人みたいな話しとって思い出したんやけどさ。ちょっと前に個展しよったら、カメラマンかライターの人か忘れちゃったけど、プロ野球のホークスの取材にちょくちょく行っとった人の話が面白かったたっちゃん。控え室とかベンチとかにおったらさ、やっぱ有名な選手とかはオーラが違うとって。二軍におる選手とかも取材したけど、一軍になると、もうなんか部屋に入ってくるなり場の空気が変わる的な、気配が尋常じゃないらしい。「おーやっぱりそうか、うんうん……」とか頷きながら聞いとったたっちゃん。

で、ある日、控室とかでそんな有名選手のインタビューかなんかしとって。ふと気付いたらさ、年配の人がずっと近くに座っとったんやって。ああ、同業者かな、何かのスタッフの人かな……って思ってふと見たら、王貞治さんやったとって。

なんかさ、ちょー名人とか、めちゃ達人とかはさ、何というか、路肩に咲いとるタンポポみたい。ポツンとかひょこんってしとらすって思うっちゃん。

話が逸れて、なにが本筋かもはや分からんけど（笑）自分なんかの技術的なことでいうとさ、絵具を厚塗りしていくとだんだんキャンバスの目が潰れていくけん、ずっと同じ描き方はできんと。細部の表現は難しくなるし、うまく色がのらんかったりする。やけんここ最近は題材でいうと、まず最初はパーツも多くて細かい描写が必要な人物。うまくいかんで失敗したら上塗りして、花。花もうまくいかんかったら、それも塗り潰して、さらに単純な車の絵。っていう風に描いていく。

人が死んで花が咲いて、花も朽ち果てたあと、機械だけが残る（笑）　車もうまく描けんやったら、もうそんなに複雑なのは描けんし、抽象画とか描くしかないよな。それはそれで楽しそうやね。

２０２２年の冬に個展した時、ポスターに使った車の絵やけど（写真01）、あの車の下にもいくつか他の絵が埋まっとる。よく見たらバックが白やけん、そんなんが少し透けて見えるとけど、それがなんかいい感じになっとる。最初からそう狙って描いてもなかなかそうはならんし、そもそもそんな効果、出来栄えを思いつかんよね。

なんか世の中的にはさ、想定内に収まることをひどく気にしたり、想定通りにうまくいくことが大切っていう風潮があるけどさ、あんなのにはちっとも馴染めんよね。だって、想定せんものが出てくるのが楽しみで絵を描いとるようなものやけん。自分の人生や生活も同じよね、先が分かっとってそれに向かって行くっていう感じやなかもん。明日どうなるか分からん、その分からなさを楽しんどると。

そんなわけやけん、スケジュールっていうものがちょっとでもあると、心が落ち着かなくなるっちゃん。なんか束縛されて自由じゃなくなる感じ。予定はなくていつもまっさらな方がいい。まっさらの予定ってことは、絵を描く予定ってことやけどね（笑）

フラフラ状態

上から消したり塗り潰したりすることに、ためらいはせんっちゃん。なかなか難しかけど、電光石火で間髪入れずどんどん筆を動かしていかんといけん。翻訳家のすごい人で、柴田元幸っていう人おらすやん。あの人がさ、英文読むのと翻訳するのと時差が全くないようにしたい、っていうようなこと言っとらして、うひゃあって感心したと。筆動かすのと絵ができていくのが全く同時進行なのがよかよね。つまりさ、〝考えない〟っていうことやけど。

ほら、ベレー帽とか被った画家がさ、筆置いて腕組みしてパイプとかくゆらしてさ、ふむふむ……とかやって構図とか思案しとる姿って、よく絵描きの典型みたいにして紹介されるやん。あれなんかとはぜんぜん相容れん感じよね。むしろおれなんかの場合は、ああなったらおしまい。そんな描き方やもん。ううむ……とか頭捻り出した途端、もういい絵ができなくなる。

『座頭市』ってさ、勝新太郎やなくて北野武が作った方の映画、観たことある？　たけしが座頭市でさ、最後らへん、浅野忠信が演じる腕の立つ用心棒かなんかと海辺で果し合いするっちゃけど、その場面がめちゃいいっちゃん。こう、ふたり向かい合ってさ、浅野忠信が今から起こる勝負のシュミレーションばすると。「相手がこうきたら、こっちはこう返して、そしたらこうくるので、ここでこう……よし勝った！ニヤリ」っとした刹那、ズバッと座頭市に断ち切られる。これ観て、「たけし凄っ……」って思ったと。たぶんむかしボクシングとかやってたせいか、自分の漫才の芸から学んだのか分からんけどさ、武術っていうのがよう分かっとうよな、と思った。

反対にさ、ガイ・リッチーって監督の、ロバート・ダウニー・Jrが主演しとる『シャーロック・ホームズ』って映画があるっちゃけどさ。戦闘シーンになるとホームズが、やっぱ浅野忠信みたいに今から起こる戦いのシュミレーションをやるっちゃん。画面にはそれがスローモーションで映ってさ。で、その通りにズバンズバンって相手をやっつけるわけなんやけど。この監督なんかは、映画はさておき武術のこと、何も分かっとらんってそう思う。

で、もちろんおれなんかが武術のこと分かっとるわけじゃないしさ、武術と絵を描くのが同じってわけでもないっちゃけどさ。なんかこう、自分がやろうとしてることと通じるものはあるって気がするっちゃんね。

そいで、間髪入れず電光石火で筆動かす。とか言ったけどさ、座頭市みたいにズバンって一刀のもとに断ち切るっていう感じやないっちゃん。ここだと決めて力込めて振り下ろすっていうよりさ、フラフラずっとあてもなくさまよっとる感じ。右に行くか左に行くか、赤を塗るか青を塗るか、自分でも分からんどっちつかずの状態をずっと保って筆動かしとって、はって気がついたら、あら、画面の中央が黄色に塗られとった、ってそんなのがいいっちゃん。そういう風だと、割りかしいい絵ができると。

ここでまたイチローが登場するとけどさ。あの人ってボール打つ時、ここだって決めてバシッと一直線に打ち抜くとやないそうっちゃん。イチローのバットって、ボールに当たるまで軌道がフラフラ定まらんで、あっちこっち右往左往しとるうち、気がついたらボールに当たって、スコーンって外野のどっかに飛んでいっとるんやって。

あー、でも、この話はうろ覚えっちゃんね。自分の都合よかごと詳細ばちょこっと変えとるかもしれん。でもさ、いきなり話変わるけどさ、〝自分の都合いいように話を作る〟っての、うまく生きる上で大切って気がすると。だってさ、映画とか観とって胸がキュンって高鳴ってほわーんって火照るのって、ご都合主義が花開いた時やん。ここぞという時にヒーローが現れたり、本棚に伸ばした手がなぜか好きなコの手に触れたり……「おお、やった！そうこなくっちゃ！」っていうやつ。あんな場面をさ、自分の日常の中で勝手に都合よく作ってさ、自分を活き活きとさせるのって、大切やなかろうか。

だって、よく言われるようにさ、コップに半分水が残っとる時に、「ああ、もう半分しか残ってない……」って思うのと「イエイ！まだ半分残ってるぜ！」って思うのとじゃあ、コップの中の水の量は同じやけど、心の中の水の量はだいぶん違ってくるもんね。一方は乾いとって、もう一方は潤っとる。ニコニコ潤っとったら、その人がハッピーになるだけやなくて、名作映画みたいにさ、人がいっぱい、その潤い求めてやってくる。まあ、好かん人も来るやろうけど、だいたいよか人やろう（笑）

って、なんの話やったっけ？　あ、そうやった、フラフラやった。

フラフラってさあ、話すのは簡単やけど、やるのは難しかっちゃんね。ただフラフラしとったらだめっちゃん。きちんとしっかりふらふら、ゆらゆらせんといかん（笑）

あのさ、詩人の金子光晴って知っとる？　めちゃよか人で、昔から好いとるっちゃけどさ、この人の詩に「くらげの唄」っていうのがあるっちゃん。暗唱するけんね。

「ゆられ、ゆられ　もまれもまれて　そのうちに　僕は　こんなに透きとほってきた。　だが、ゆられるのは、らくなことではないよ」っていうやつ。

ふらふらゆらゆらするのって、まあ、〝自由にする〟ってことなんやけど、なかなか大変っちゃんね。

フラフラサスペンス

フラフラ状態を保つのって、心がすごく不安になるっちゃん。どっちに転ぶか分からんフラフラ状態って、いわゆるサスペンス状態やん。サスペンスって語源は「ぶら下がっとる」って意味やけんね。だってサスペンス小説が何で読ませるのかって、みんなフラフラ状態に耐えきれんで、早く犯人が知りたくて読み進めるわけやんか。人って不安定な状態を保っとるのが難しくてさ、すぐに白黒つけようとする。

まあ、目の前に座っとる人がいい人か悪い人か分からんと、飯もうまく喉通らんよね。やけん、分別するのって心の安定にとっては重要なんやけど、それができんのがサスペンス小説とか映画の醍醐味やもんね。ともかくさ、そんなサスペンス状態に、ずっと自分を置いとかんといかんと。

ここを白にしようと思って迷わず白を塗るのって簡単やん。でもそうやなくて、白か黒か分からんままに、その都度よかれと感じる曖昧なことが、0・1秒くらいで変わっていくと。で、それを曖昧なままに、パッパッって筆の先から出していかんといけん。

もちろん頭の脳ミソの方で考えるようじゃ遅いけん、手の脳ミソの方に考えるのは委ねとかんといかんのやけど、頭デカくて強いけんさ。すぐに自分とこに考えを引き込もうってするっちゃん。それをさせんように、考えが頭の方に登ってこんようにするのに骨が折れると。「あああ、肘のとこまで登ってきたーっ」って（笑）

で、そんな凄まじくサスペンスで、全神経集中してフラフラしとる時に、嫁さんから「ごめーんコウジさん、あたしちょっと今手が離せんけん、オムツ替えてくれーん？」とか呼ばれると、まず何言ってるのか、さっぱり言葉が分からん。耳に声が入ってきたってことぐらいは感じるけど、言語として理解できん。で、返事をしようにも、言葉が出てこん。脳の言語をつかさどっとるとこの機能が停止しちゃっとる。「あ、あ、うう……」って何とか口をパクパクさせるしかなくってさ（笑）

同じような状態で、幼稚園帰りの末っ子とかが「お父さん、新しい折り紙作ったけん見てーっ！」とか言いながら部屋に入ってくることあるんやけどさ。う、なんか折り紙的なものを手にした小さな生物が入ってきた。と画像としては分かるけど、何言っとるのかすぐには意味が理解できん。そいで同じく「あ、あ、うう……」とか返事らしき声を発しながら、何とか少し相手すると、「わあ、よくできとるねー」とか話せるようになる。でも、またそこからサスペンス状態に持っていくのが一苦労っちゃん。なんか二つの世界行き来する、タイムトラベラーみたい（笑）

そんな風にやってるとぐったり疲れて、晩ご飯食べたらもうすぐに寝る感じ。何で家でヘラーって絵を描いとるだけなのに、こんなヘトヘトになるんやろうって思うとけど、毎晩だいたい10時くらいには、ドサッて布団に倒れ込んでしまうよね。

そぞろであるために

むかしはさ、今話したようなサスペンス状態とか保ったりすることできんかったし、そもそも、そんな状態が絵を描くのに大切だとか思いもせんかったよね。そぞろに描くっていうのにしても同じでさ、なんでそぞろに上の空で、魂とか込めないほど絵がいいものになるのか、ちっともわけが分からんかった。つうか、今でもわけは分からんよね。わけ分からんけど、経験的にその方がうまくいくけんそうしとる。

たまにさ、大きな仕事を受けたりするやん。前に代理店から電話あって、でっかい商業施設のイベントポスターとかの依頼でさ。たくさんの人の目に留まるし、よっしゃあとか気合入れて、下描きとか何回もして一生懸命に描くっちゃけど、ほんっとにつまらん絵にしかならんと。まあ、先方は気に入っとったけん、もちろん自分の感想なんやけどさ。とにかくほんとうにさらっと、計らいとか算段とか、あるいは思い入れとかこだわりとか、そういうものがなければないほど、経験的にいい絵が描けるっちゃん。

でも、普通は違うやんか。たいていは何事も計画的に!っていうのが奨励されて、無計画なのは非難される。本屋でもネットでも「〜のやり方」とか、「〜のテクニック」とか、レシピや段取りについての情報がめちゃ多かしさ。学校や職場でも同じで、きちんと計画立ててそれに真面目に従い、一生懸命に働く、もしくは勉強する、スポーツする。でもさあ、そんなんやったら、計画にないもの、想定外のもの出てきた時にはどうすんの?って思うよね。

そんなさ、思いもよらぬできごとにすっと対処できるようになるにはさ、もっと肩の力抜いて、たらーってしとったがいいのになあって思う。あまりに自堕落で無気力なのも何やけど、真面目に手を抜くっちゅうか。真剣にそぞろにする、気合入れてヘラヘラするっていうのが大切だっていう気がする。

〝気がする〟って言っとるけど、繰り返し話しとるように、長年絵を描いとるうち、だんだんとそう感じるようになったと。感じはじめの頃は、まったくその感覚に自信がなかったし、むしろ計画性だとか、思い入れとか、こだわりこそが大切だって思っとった。まあ、そういう教育ずっと受けてきたけん、しょうがなかよね。

自信はなかったとけど、うまくいくけんさ。言葉にできんし、何かも分からん。そがん状態をおそるおそる続けとったらさ、たまたま禅についての本を手にすることがあったっちゃん。あ、禅で思い出した！　めちゃ話飛ぶけど、いい？

あのさ、20代の半ばでパリに住み始めて間もない頃、友だちの家の庭でバーベキューパーティがあったっちゃん。その友だちは、ピガールにあるおっきなディスコでクローク係しとってさ。そのパーティに、モデルみたいな女の子が何人かおったと。こっちはフランス語をまだほとんど話せんしさ、酔っ払って芝生の上にあぐらかいて「ああ、いいお尻してるよなあ……」って、ぼおっとその子らのこと眺めとったっちゃん。そしたらさ、そこではじめて会った年配の人が近づいて来て、こう真顔で「ムッシュ、今、貴方がされているのは禅ですか？」って。もちろん「ウイ（はい）」って答えたけど（笑）あ、ごめん、話はそれだけです。

そう、禅の本の話やったね。それって鈴木大拙っていう人の本なんやけどさ、『無心ということ』とかパラパラと読んで、ぎょえーってなったっちゃん。だって、分別するのはよくないとか、心を無にするのが大切だとかさ、おれなんかがここで偉そうに話してるようなことがポンポン書いてあるっちゃん。今の今までわけ分からんでやってたことに「あ、それはね、こういうことだよ」「これにはね、こんな名前がついてんだよ」って教えてくれると。もう、嬉しくってさ。禅の教えの深いとこなんて全然分からんっちゃけど、自分の都合のいいとこだけ線引いて、うんうん頷きながら読んどったよね。古本とかで入手困難なやつとか以外は、たいてい読んだ。

で、なんちゅうか、それでお墨付きをもらった感じ。それからは、よしこれで行こうって、意識してそぞろ状態に自分を置くように気をつけるようになった。まずは自分の生活する中で、なるだけ物事に執着せんよう心がけるようになったと。

けどさ、そんなんやったってすぐにはできんし、できようがなかよね。山の奥で霞食って生きとるわけやなかし、家族と暮らす実生活ってものがある。食ってくためには金銭も稼がにゃならんし、そしたらいろんな計らいごともせんといかん。生活の場と仕事の場が地続きやけん、何でもかんでも〝そぞろ〟ってのには無理がある。

でもさ、公私を分けるとかオン、オフを切り替えるとか、あんまし自分には似合わんっちゃんね。例えばさ、小鳥の声とかそよ風の音しか聞こえんような静かな湖畔のアトリエに独りでおったらさ、簡単にサスペンス状態に持っていけるかもしれんけど。簡単が故に、フラフラ度とか、そぞろ度が、弱くなっちゃうような気がするっちゃん。

泣き声とか怒号とか育児や家事なんかに邪魔されて、とほほほ……とか嘆きつつ、「よし！」って筆走らせるのが、性に合っとるみたいっちゃんね。

囚われてしまうことの怖さ

結果的に、頑張るとよくない。頑張れば頑張るほど、時間をかければかけるほど、つまらなくなる。っていうのはさ、もちろん自分がそう思うだけで、観る人によっては、囚われて描いた息苦しい感じが、むしろよかったりすることもあるよね。いい意味で、受け取る側の勝手やけん。勝手やけど、やっぱり、自分がよくできたって思う絵は他人にもそう感じて欲しかし、ちょっと失敗したかなと思っとる絵は「なんかこれイマイチですね」って不評なのが、なんか安心はするたいね。

基本的には自分の楽しさのために描くわけやんか。でも〝楽しい〟ってさ、どんな気分、状態のことなのかって、一言では言えんよね。例えばさ、何かに囚われて一生懸命がんばってるのって、なんか不自由で苦しくてしんどそうやけど、同時にさ、脇目をふらなくていい、そこだけ見てればいい、っていう楽さもあるわけやんか。

ただ黙ってそれに従っときゃいいとやもん。あれこれ自分で考えないですむ。そんな楽さってあるもんね。囚われて安心する、みたいなさ。なんかそれって、宗教的な面があるよね。何かを信じておりさえすれば救われる、心の安穏が保てる。でもさ、囚われ過ぎたり、狂信的になっちゃうと、よくなかよね。とくに本人以外、周囲にとってはさ。

あのさ、相米慎二っていう監督の『魚影の群れ』ってめちゃめちゃいい映画があるっちゃん。緒方拳が主人公でさ。マグロ専門の漁師なんやけど、なんかそれだけを生きがいにしとってさ。もう、執着がすごい。で、娘が夏目雅子で、その旦那が佐藤浩市、漁師の見習いみたいなことやっとる。緒方と佐藤が二人で漁に出てさ、もう見たことないようなでかいマグロがかかるわけよ。緒方がおおおーっ！てなってさ、マグロ暴れて綱とかがヒュンヒュン引っ張られるとけど、その綱が佐藤に絡まるっちゃん。それちょっと緒方の目に入るんやけど、助けんでマグロの方を優先すると。で、マグロ獲れるんやけど、佐藤は半身不随みたいになってしまうっちゃん。

で、絵を描いとってさ、時々その〝マグロ緒方〟状態になる（笑）なっとるのに気が付いて、自分で自分にびびることがある。

執着せん、囚われんで、ヘラヘラ描くように心がけとってもさ、ずっと描いとったらなかなかそうもいかん時がくるっちゃん。悪霊にでもとり憑かれたみたい。

ちょっと前かな、比較的大きな人物画ば描きよったっちゃん。そしたらさ、眼の部分とかがちっともうまくいかんと。本当なら眼の部分も髪の毛も背景も同じ熱量で描かんといかんくて、いつもならうまく描けんかったら、その絵は一旦やめて別のキャンバスに移るんやけど、そうできんかった。その絵の眼が、マグロになっちゃった。

で、緒方みたく、むうううう……って描きよったらさ、隣の部屋でガターン！って何かが倒れるか落ちるかする音がしたっちゃん。そこではちっちゃい子どもらが遊んどったと。でもさ、すぐ筆置いて駆けつけるってことができんかった。ほんの数秒やけど、絵を優先させてしまったと。幸い、ふざけとって椅子が倒れただけやったけどさ……これはやばいと思った。

何かを信じたり、一途になったりするのって、集中して物事やったり、ある種の心の安定にとっては役立つとけどさ。それが妄信や囚われになっちゃうと、本人はさておき、周りがほんとうに不幸になるよね。くれぐれも〝マグロ緒方状態〟には注意しよう（笑）

苦しさと達成感

どんなジャンルでもさ、才能があるとかないとか、才能あるのに努力が足りんとか、努力できるのも才能のうちとか、才能についてあれこれ言うけど、あんなんよう分からんよね。

村上龍が、才能についてどっかに書いとったとけどさ。例えばジミ・ヘンドリックスだったらギターの形、マラドーナだったらサッカーボールの形、ピカソだったらキャンバスの形の大きな穴が空いとってさ、その穴を埋めようってずっと土を放り込むんだって。でも、全然埋まらん。埋まらんけん、ずっとずっと埋め続ける。その穴が才能だって言っとって、ああこの例えならなんかちょっと分かると思った。才能って〝なんか持っとる〟もんやなくて〝なんか欠けとる〟っていう見方よね。

美術や音楽で言うとさ、早熟の天才みたいな人、いっぱいおるやん。例えばさ、おれなんてビリー・アイリッシュの曲とか好きで、よく聴くっちゃけど、時にうるってなったりしてさ。でも、彼女って二十歳かそこらやん、なんでそんなガキンチョに泣かされとるとや（笑）って。努力するもなにもさ、物心ついた時からひょんひょん苦もなくすごい表現できる人、おるわけやんか。でさ、おれなんかも凄いっては思うけど、羨ましいとか、そうなりたいとかは、さほど思わんっちゃんね。

あのさ、またまた映画の話になるけどさ、伊藤大輔って監督の『王将』っていう映画があるっちゃん。三國連太郎が、伝説の将棋棋士の坂田三吉を演じるとけど。浜辺でさ、波がザパーンザパーンとか押し寄せてくるとこに、坂田三吉がひざまずいてさ。こう、天を拝んで、「将棋の神様〜っ、おねげ〜だ〜っ、あっしを日本一の将棋指しにしておくんなせ〜っ」って絶叫するシーンがあるっちゃん。それ観てて思ったんは、神様がさ「おお三吉、分かった、じゃあ」っとか言ってビビーン！って光放って、それから三吉、負け知らずでたちまち日本一になって。それで、三吉ほんとに嬉しいんかい？しあわせなんかい？っていうことっちゃん。

なんちゅうか、棚ぼた的に将棋上手くなったり、曲作りや絵が上手くなっても、あんましそれって嬉しくないよなあって、まあおれなんかは思うと。

賞とか獲ってチヤホヤされたり、「すごーい」って尊敬されたり、お金持ちになったり、そんなのだけが目的ならそれでよかばい。それもいっぱしの目標やし、他人がどうこう言う筋合いのものじゃなかもんね。でもさ、飯とか酒が、そんなにうまくないっちゃなかろうかって思うと。

さっきの村上龍の穴の話で言うとさ。やっぱこう、毎日土を運んでスコップで投げ入れてさ、はあ、疲れたなーって飲むコップの水とかが、よっぽどうまいと思うとやけど。努力する楽しみとか、汗かく心地よさやね。

いわゆる〝天才〟ってちょー退屈なんやなかろうかって思う。そりゃあ尊敬されるし簡単に稼いだりして、生活はそこそこ満たされとるかも分からんけど、〝創造の楽しみ〟みたいなのはなかよね。だって、苦もなくひょいひょいできちゃう。極端に言えばさ、寝とったら一曲、一枚出来上がっとる。昔のお坊さんの絵描きの中でさ、何でもかんでも墨で、ひょいひょい描けちゃう達人がおってさ。もう何でもすぐに描けちゃって、手応えがないしやり甲斐がないけん、そいじゃあって自分の両眼、小刀かなんかで潰しちゃうっちゃん。「眼見えんくなったら、おれどんな絵描くんだろう、ワクワク」って感じよね。そんなのは、自分からしたら遙かに遠い世界やけど、その気持ち、分からんことはなかよね。

ついでに思いついてしまったけん、さらに話すとさ。おれ吉本のお笑い芸人とかが好かんでさ、何で好かんかっていうたら、権威にすり寄って弱いものバカにして笑っとるのが多いけん。で、その吉本の一人がさ、タモリに向かって、「もういいかげん歳なんだから早く引退してくださいよ、後がつまってるんですから」みたいなこと言うっちゃん。そしたらタモリが「伝統芸能とか茶道とか花道とかの世界じゃ、おれなんかの歳なんてひよっこなんだ、まだまだ続けるぞ」みたいなこと返すっちゃん。一方は〝お笑い〟を、お金儲けの手段の一つくらいに思っとる。一方は、芸事だと思っとる。芸を磨くのに、終わりはなかもんね。

話逸れちゃったけど、ともかくさ、今の世の中生きとったら、「汗を楽しむ」とか「手応えを喜ぶ」みたいな人って、どんどん少なくなっとる気がするっちゃん。

だってさ、いかに楽して早く簡単に成功するかって、そんな話ばっかりやん。アイデアとか仕組みとかをぱっと思いつく人がもてはやされる反面、こつこつ地味な修行を続けるみたいなのを、バカにするような風潮あるよね。

って、他人は他人でおいといて、とにかくこと自分に関して言えば、〝額に汗して〟っていうのが好きやし、性に合っとる。それは、父方も母方も家は代々農家やったし、じいちゃんは農業の傍ら木こりの仕事もやりよらした。親戚筋もたいていそうやったけん、小さい頃からその人たちの働く姿なんかを見慣れとったんかもしれん。農作業の合間に田んぼの畔とかに腰掛けてさ、ふーっとか言いながら水筒の麦茶なんかを飲んでる姿見て、「ああ、うまそうに飲みよらす……」って、そういう印象が心に強く焼きついとるかもしれん。

アジサカコウジのコウジは「耕二」って書くっちゃん。いかにも農家の子どもの名前（笑）「名は体を表わす」じゃなかけどさ、こう鍬を持って田畑を耕すってのが、自分の〝生きるイメージ〟になってしまっとる。なんかこう、ざくっとした手応えみたいなものがないことには、生きてる実感が湧いてこんと。それって側から見たら「勤勉家」とか「努力家」とか見られるかもしれんけど、もう、ほんとただの性分やね。そうしとるのが心地いい。

と、そんなわけで日々、手応えを求めて絵を描いとるとけど、ずっと描いとるとその〝手応え〟みたいなんも、変化するっちゃん。むかし、街で走っとる理由を人に聞いたらさ、最初はダイエットとかのために10キロとか目標に走り始めたんやって。そしたら結構すぐ、それくらいの距離は楽に走れるようになったけん、次は20キロ。それもクリアして、次は42キロ、マラソンの距離。今はその距離でもなんか物足りんごとなってきたけん、１００キロのウルトラマラソンを目指しとるって言っとった。

おれなんかの仕事でもさ、似たようなところがあって。前は一週間くらいかけて一枚の絵を仕上げて、「ふう、出来た……」って白ワイン飲んで、「ああ、うまいっ！」ってなりよったんやけど、最近は一日に一枚くらい描き終えんと、やった感がない。ワインがそれほどうまくない。それでまたさらに、ぐぐぐぐうーって前のめりになって描き始めるとけど、これってどういうことなん？（笑）なかなか難儀な性分やって自分でも思うよね。

昔から、なんもせんで、たらーっとか、ほけーっとかしとくことができんっちゃん。とにかくいつもどっかに〝手応え〟を探しとる。そういう風やけん血圧が高いのか、血圧が高いけんそうなるのか、分からんとやけど。たまにヤバイ高さになったりするけん、嫁さんから「もっとダラっとして、寝転がっときい」ってしょっちゅう言われる。

歯医者さんに行ったら行ったで「アジサカさん、いつも歯を食いしばってるでしょう？すり減ってますよ。もっと口開けてポカーンとすることも大切です」とか言われる始末やし……その、ポカーンっていうのが難しいと。「ようし、ポカーンとするぞ！」って歯を食いしばってしまう（笑）

たまに「アジサカさんが描く人物って、男性も女性もみんな口、ギュッと閉じてますよね」って言われることあるけどさ、めちゃ性分が表れとる。

絵を描く楽しみ

〝そぞろ〟に描くってさ、たまたま何となく響きがいいけんそう言っとるだけで、〝ただ〟描くでも〝無心に〟描くでも〝気ままに〟描くでも、いいっちゃん。ただ、そうは言っとっても、そう出来とるわけやぜーんぜんないけんね。「そぞろに描きたい」とか「そぞろに描けたらいいのにな」って、そんな願望やけんさ。

長年やっとるけん、結構うまくいくようにはなってきとるけど、眉毛はもっと細くとか、背景には走る車とか、ここは青とか、どうしても目の前に具体的な言葉にできるようなイメージがありありと浮かんでしまう。ほんとうは、いつの間にか眉毛を描いて、気付かぬ間に車を描いとかんといかん、今やっとることを忘れ去るようでなきゃいかんとやけどさ。それがなかなか、そうはできんっちゃん。

でもさ、一方で絵を描くのって、「この色はキツ過ぎるけん薄くしよう」とか、「腕は組ませた方が可憐さが増すよな」とか、そういう策略とか駆け引きみたいなのが、ある種の楽しみだったりもするわけやん。そもそも人ってさ、生きとる中で、今度の休みはどこ行こうって計画したり、気になる女の子をどう落とそうかって駆け引きしたり、スポーツだって作戦立てて攻略したりする。世の中って、そういう楽しみ多かよね。

将棋やトランプをはじめとしたいろんなゲームなんて、それそのものやんか。試行錯誤して思い通りになったらワクワクするし、そこには大きな喜びがある。でも、それしちゃうと、いい絵が描けんっちゃんね。悲しいことにさ。そういうゲーム的な楽しみは、絵をよく描くためには置いとかんといかんっちゃん。

で、はたと、「じゃあお前にとっての絵を描く醍醐味ってなんだ?」って自分に聞いてみたくなるよね。だってさ、まず、駆け引きとかの楽しみは捨てんといかんやろ。つか、そもそも調子よく描けとる時は、醍醐味を味わうべき自分がそこにはおらん。いい絵を描こうとして四苦八苦して、うまいことそぞろ状態になる。忘我の無心状態、心はそこにあらずやけん、楽しいも苦しいもない。空白よね。そう考えると、絵を描くこと、それ自体には醍醐味もなにもなかよね。ということはさ、楽しみっていったら、そんな空白状態に、いろいろ工夫をこらして持っていこうとすることになるんかな。〝考えない状態をいかに作るかを考える楽しみ〟、やね。

あ、そういえばもう一つ、別の楽しみがあった！　タイトルをつけること。ほら、個展の日程とかが決まるやん、そしたら展示する予定の作品を、床とかにずらって並べると。そいでさ、いつもよりちょっと上等のブルゴーニュとか飲みながらさ、目に留まったやつからタイトルをつけていくっちゃん。この時の自分は描き手っちゅうより、たまたまそこを通りすがった鑑賞者の一人。やけん、その人がぱっとみて思いついた言葉をまず付けてみると。すぐには言葉が出てこんでもしばらく眺めとったら、いろんな言葉が浮かんでくるけん。それらを組み合わせたり、韻を踏ませたり、冗談めかしたり……って、そんな風にタイトルつける作業は、とっても大きな楽しみの一つかな。

やけん、他の人の展示とか観に行って「無題」とか「試作1」とか「裸婦№3」とかの名前がついとると、「ああ、もったいない、おれにつけさせてくれんかなぁ」って思ってしまう（笑）で、話戻るけど、〝我を忘れた〟状態のときの〝我〟は、どこにおるん？ってことやけど、忘れた状況にもよるとやないかな。映画やライブとかに熱中しとったり、情事の最中やったり、大きな失敗やらかして頭が真っ白になっとるときやったり、いろんな忘我があるわけやもんね。でも、芸術とか武道とかの忘我、無心ってのは、その中でもなんちゅうか、ちょっと位が高いんやないかという気がするっちゃん。願わくば（笑）

うまく絵が描けとって、そこにおらんくなった自分は、できれば阿頼耶識（あらやしき）あたりに行っとってほしかよね。あ、阿頼耶識ってさ、仏教でいうところの、その人の〝本心〟があるところらしいっちゃけど。何かの本読んどったら出てきてさ、その時は「ああ、ここに行っとるかも」って感じがしたっちゃん。難しくてわけ分からんとやけど、響きがカッチョいいけんさ、一度口に出してみたかった（笑）

でもさ、なんか死んだら魂って、その阿頼耶識に行くような気もしとってさ。ということはさ、うまくそぞろ状態になって我を忘れとるときって、自分の体重が魂分の21グラム、軽くなっとるかもしれんとか思ったりする。怖くて体重計乗ったりできんけど。って、そもそも体重のこと考える我がおらんとやった。

まあともかく、いろいろ考えるとさ、やっぱり〝行きっぱなし〟はどうかと思うよね。筆は動きよるけど、生きてんのか死んでんのかもよう分からんし……。

おれなんかの当初の企てではさ、当初って、最初の嫁さんと離婚して、その人との子どもらが成人して、独身に戻ったときやけどさ。あとの余生はどこかの田舎の静かなとこで、気ままに絵を描いて、自分の食うに困らんだけそれ売って、のんびり暮らそうって思っとったっちゃん。でもさ、なんか縁あって、ずいぶん歳の離れた嫁さんもらって、孫みたいな歳の子どもら育てとるやん。独りじゃないけん、養わんといかんけん、頻繁に個展やったり、Tシャツ作ったり。

あーあ、とほほほ……って、たまになったりするけどさ。目論見通り、どっかの山奥の静かな場所で独り絵を描きよったらさ、おそらくはそぞろ状態うまくいき過ぎて、ずっと我を忘れた状態、自分はどっか行っちゃったまま帰って来れんようになっとったような気もするっちゃん。

　そう考えると、運命は間違わんよな、って思ってしまうと。時々「ちょっと、オムツ！」って呼ばれるくらいがちょうどいいんやって。まあ、つくづく自分本意の手前勝手な考え方なんやけどさ。

(写真01) マッハ Kiss Kiss Kiss /2022

(写真02) 20代後半のパリ時代、イラストの仕事で描いた作品

(写真03) 絵地図「ナナの旅スケッチ」(西鉄ニュースに連載)

DRAWING AZISAKA KOJI
アジアン・ライブ・スペシャル
◎アジア映画祭
◎アジアンバザール・パフォーマンス
◎アジアンギャラリー
アルカスSASEBO開館記念事業
ASIAN LIVE SPECIAL
◎大工 哲弘＋ソウル・フラワー・モノノケ・サミット（21日のみ）
2001年10月20日～21日 at アルカスSASEBO
※お問い合わせ アルカスSASEBO 0956-42-1111 地球屋 0956-23-9899 アジアンライブ実行委員会 http://www.mmic.co.jp/co-op/
アルカスSASEBO

(写真04) アクリル画での初仕事

(写真05)「いかすぜ街人」（西鉄ニュースに連載）

(写真06) 着せかえ絵本

(写真07) ベルギー時代のアクリル画

(写真08) コナミDS大人力検定

この貝はおれの耳/2003

七月の鏡の男/2002

恋のハート矢/2002

(写真10) 真冬のベルギーで描いた絵

海は四月/2010

(写真11-1) 絵箱店店内

(写真11-2) 絵箱

(写真09) 自治区ドクロディア

BPT

(写真12) プチキチのTシャツ

(写真13) 木版画っぽい作品

(写真14) 西郷さんシリーズ

意外に愉快な異界へ/2019

ここ無辜湖/2018

人を殺すのはよくないことだ/2018

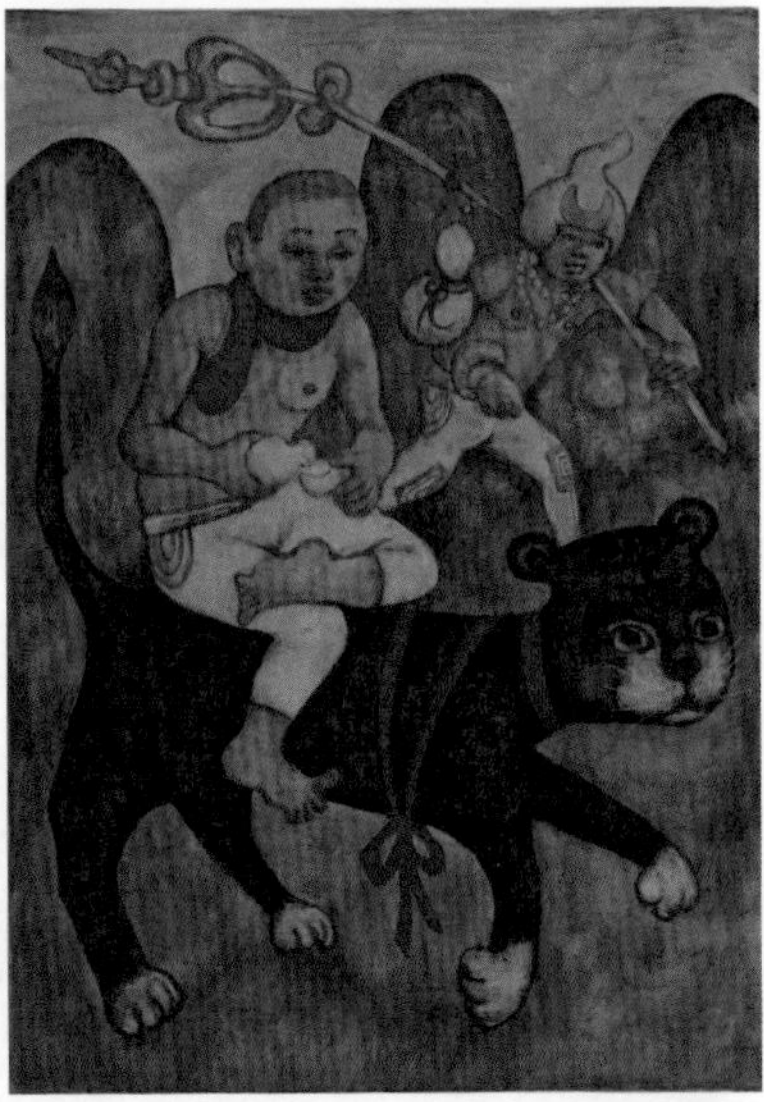

安々穏々/2016

(写真15) オーマガトキ/2022

(写真16) どくろ渓谷/2019

(写真17) カレンダーのために描いた作品

木枯らし黄昏待ち焦がれ/2012

カスタードプリンセス/2019

個展会場の様子

List：（リスト） 長崎

ギャラリーEUREKA（エウレカ） 福岡

イタリア会館・福岡　ギャラリーSPAZIO（スパツィオ）

ロビン/2020

人物画

この海だけに風が吹く/2021

フランシーヌ/2020

野生の思考/2018

花の絵

夜を砕く月/2022

セピアサイケデリック/2019

島田宗三/2020

田中正造/2018

生活すること

佐世保

不甲斐ない優等生

こんな稼業を長年やっとったら、たまに「アジサカさん、タイムマシンあったらいつの時代のどこに行って、何したいですか?」ってなこと聞かれることがあるっちゃん。そんな時は決まって、「1980年くらいの生まれ育った佐世保に戻って、その頃の不甲斐ない自分を叩き直してやりたい」って答えると。なんか、中高生くらいの頃の自分は嫌いやったーっ。同窓会の誘いとかあるけどさ、絶対顔出さんもん。その頃の同級生とかに会うのもなるだけ避けとるしさ。

その人たちに会いたくなかわけじゃなかっちゃん。卒業後、どがん人生ば送って、今は何ばしよるとか、聞いてみたかしさ。でも、会ったら思い出話とかするやろ、そしたらその頃の嫌いな自分が出てくるやんか。それが嫌っちゃんね。

なんかさ、当時は長いものに巻かれる的な感じやったと。先生には従順で、ガキ大将には尻尾ふってさ。小坊(小学生)の時なんか、おとなしか子ばいじめたりもしよったもん。なんであんやったんやろう……って、思い出すと情けなくなる。いじめた子らには本当にすまんでさ、申し訳なくてさ……。

ぱっと見は優等生やなかかな、勉強もそこそこできよったし。漫画描いたり結構面白いとこもあったけん、立候補とかはしとらんけど、なんでか選ばれて毎年級長やりよった。「あいつ選んだら楽しそう」って感じやなかったろうか。そんな付和雷同で、世渡り上手なとこもいっちょん好かんよね。今なんかはさ、当時仲良かった連中とかより、どっちかっちゅうと避けとった不良たちの方にシンパシーがあるもん。先生に反抗して、校則守らんで、すごかよなぁ、偉かったよなぁって。

あ、そういえばさ、最近たまたま小中高って一緒やった友だちと久しぶりに会う機会があったっちゃん。飲みながらさ、あの頃の自分が不甲斐なくて嫌いやったみたいなこと、話したっちゃん。そしたらさ、そいつが「えーっ、コウジ、お前そがんこと考えとったん？　いつもけっこう楽しくてご機嫌に見えたけど」って言ったっちゃん。「ああ、そうなんかな……」って、ちょっと考えてみた。

人ってさ、普通は思い出、過去を美化したがるやん。でも自分なんかはその逆で、〝醜化〟させるみたいな傾向があるかも知れんね。だってさ、朝起きて仕事場行って最初にするのは、昨日描いた絵を「きっとダメだぞ」って思って観ることやもん。まずは過去の自分の否定。そんな習性がいつの頃からか身についとる。

やけん、極端な話、中高の時の自分も嫌なら、一年前の自分も嫌だって思いたくなるような自分がおるっちゃん。えーっ、そんなに自分を嫌いになって、どうすんの？って思うやろうけど、全く逆っちゃん。自分のこと好きでたまらんけんさ、年毎に月毎に日毎によくなって欲しい、やけん否定すると。人生一回しかなかっちゃけんさ、せっかくなら、なるだけよか人間になって死にたかもんね。よか人間ったって、自分なりによか人間っちゅうことやけどさ。

あのさ、美化する話ばしとって思い出したっちゃけどさ。自称愛国者の人たちって、自分の国のことをめちゃ美化したがるやんか。過去や現在の悪かとこは見て見ぬふりしてさ、よかとこばっかり吹聴して喜んどる。あれってどうも理解できんっちゃんね。だって自分の国が好きならさ、その国がよくなってほしかよね。そしたらさ、よかとこはよかとこで大切にして、〝醜化〟したり否定する必要なんてなかけどさ。悪かとこは、隠したり否定したりせんで、しっかり受け止めてさ、改善していった方が未来のためには断然よかとにって、ごく自然に思うっちゃんね。テレビでも本でも、昔の日本はよかったとか、日本のここが素晴らしいとか、そんな美化するものばっかでさ。自分の国のこと、ほんとに好いとるとかな？よか国になって欲しくなかとかな？って首傾げたくなるっちゃんね。話が飛んじゃってごめんけどさ。

で、生い立ちの話に戻るとさ。両親ともに、佐世保の針尾島出身やね。近くに西海橋とかあって、半農半漁的な土地柄かな。母親の兄ってのが教育者でさ、一族の長的な感じなんやけど、郷土史家みたいなこともしよらして、自分らの先祖を辿っていったっちゃん。そしたら松浦党って海賊集団に行き着いたらしいと。それ聞いた時は「おお、おれに海賊の血が！」って、うれしくて小躍りしてしまったもんね。

でもさあ、ご先祖様とは裏腹に、その教育者の伯父さんの影響も強くあってさ。家的には「真面目に勉強するのが第一」っていう雰囲気が頑と強く一貫してあったよね。いい大学出て一流企業か公務員にって、まあいつの時代のどの親でも願うことかも知れんけどさ、特に当時の自分ちはそれが強かったって、今更ながら思う。漫画やイラストなんかだってさ、ちっちゃい頃は描くと褒められもしよったけど、だんだん受験とか近づいてきたら「勉強もせんで漫画とか描いて！」ってなってさ。隠れて描いたりしよったもん。

画集とかの類なんて本棚には一冊もなくてさ、絵なんてのも一枚も飾っとらんかった。壁にあるのは、酒屋さんが置いてった女優が微笑んどる日めくりか、銀行でもらった桜並木のカレンダー。そんな感じやった。

でもさ、そんな感じやったからこそ、今みたいな自分があるっていうのはものすごく思う。20代や30代の頃はそれこそ、親がもっと好きにさせてくれとったら、とか、美大に行かせてもらえとったなら、とか、育て方みたいなことについてはちょっぴり憎んだこともあったけどさ。この歳になると「その逆境が今のおれを育んでくれたんだぜ」（笑）ってな感じで、反対に感謝しとるもんね。

ただ、自分の子らには基本的にはもう、自由に、好きなようにさせとる。

刷り込まれたロボット

未来都市とかさ、SFっぽいモチーフの絵をよく描いたりするとけど、あれはもちろん、ガキンチョの時に観とった漫画やアニメの影響がでっかかよね。当時はさ、ヒーローものとか、ロボットものとかの作品が盛んになり始めた時期っちゃん。仮面ライダーにしろマジンガーZにしろ、そりゃあもう無茶苦茶ハマってさ、それが世界のほとんど全てってくらい熱中しとった。仮面ライダーのカードは勉強なんかよりはるかに本気で集めとったし、毎週火曜の夕方6時から始まるマジンガーZは、あらゆるスケジュールの中の最重要事項やった。

雑誌もさ、テレビランドとかそんなアニメ情報が満載のやつを毎号買ってもらって、もう擦り切れるほど読んどった。ある時そこからさ「マジンガーZ」が終わった後は「グレートマジンガー」が始まるんだって情報を得てさ。「おおお、新しいマジンガーが！」ってもう期待に胸がわわわわーってなっとった。そしたらさ、なんでか知らん長崎ではすぐに始まらんくてさ、もうまるで世界の終わりみたいに落ち込んでしまったと。見かねた母親がテレビ局に電話してくれたもんね。幸い別枠かなんかで遅れて始まったとけど、あん時の落ち込み様は、今でも強く覚えとる。

ともかく今と違って録画とかもできんし、毎週一回の放映を、そりゃあ真剣に観とった。そんな風やけん、ロボットやメカ、怪獣や怪人なんかのイメージは、かなり強く頭の中に刷り込まれとるよね。やけん、絵を描きよっても、筆の先から自然とそんなのが飛び出てくる。

パリで2回目に個展やった時ってさ、そんなロボットなんかがけっこう出てくるシリーズやったたっちゃん。向こうはほら、漫画やアニメについちゃ、日本と比べりゃかなりの後進国やけんさ。それも30年近く前のことやけん。結構驚かれたし、かなりウケがよかった。

会場におったらさ、同じ歳くらいのパリジャンが近づいて来て「ムッシュ、貴方はどうしてこんなに易々と、ロボットや未来都市の絵が描けるんですか？」って聞いてきたっちゃん。その時はとっさに「セザンヌがサント・ヴィクトワール山見て、ユトリロがパリの街並み見て育ったように、おれはアニメや漫画観て育った。だから割と簡単に描けるんだ」って答えたんやけどさ、「おお、そうか、そうか」ってえらく感心しとらした。

漫画好き

漫画はさ、もう手当たり次第読みよった。最初に買ったのは、ちばてつやの「ハリスの旋風」第4巻。なんで1巻やないのかっていうと、8巻あるうち4巻が一番分厚かった（笑）なけなしの小遣いやけん、使う時は真剣ばい。ジャンプやマガジンなんかの週刊誌の類いは節約して、たいてい自分では買わんやった。友だちが学校に持ってきたのを読ませてもらいよったよね。

『月刊ジャンプ』だけは、迎くんっていう子が近所におって、その子んちに毎月読ませてもらいに行きよった。迎くん病弱でさ、あんまし学校に来れんで、行くと畳の部屋に着物の寝巻き着てちょこんと座っとった。色白くて声が低くてさ。読み終わるまで、傍でニコニコ眺めとった。まあ、それだけの付き合いやったけど、なんでかすごくよく思い出すっちゃん。迎くん、中学に上がる前、10歳かそこらで車にはねられて亡くなってしまうとけどさ。今、こうしてのうのうと生きとる自分とかさ、80歳とか過ぎてもピンピンして威張り散らしとる政治家とかと照らし合わせてしまってさ。ああ、なんてこの世って理不尽なんやろうって思ったりする。

『月刊ジャンプ』は迎くんやけど、『週刊キング』にはまた別の思い出があるっちゃん。学校帰りの川沿いに、看板も出とらんような、小さなたこ焼き屋さんがあってさ。夏場はトコロテンも一緒に売っとらした。シュミーズ、今でいうキャミソールみたいなの着た、おばさんとお姉さんの中間くらいの人がおってさ。小坊のおれらなんかが行くと、「はい」って大原麗子だとか秋吉久美子みたいな声、つうても知らんよね、なんかハスキーで悩ましい声ってことやけどさ、薄紫のプラスティックのコップに入れた麦茶ば出してくれると。

待っとったら、たこ焼き、有田焼の唐子なんかがついた中皿に盛られてやってくるんやけど。なんか白くてふんわり柔らかくてさ、粉みたいなかつぶしが、ほんの少しはらりと乗っとるっちゃん。ともかくさ、おれら言葉にできんかったけど、店の中、あちこちに色気が漂っとるんよ（笑）

そいでさ、なぜかその店にキングが置いてあるっちゃん。キングって言ったらさ、ジャンプとかマガジンみたいな少年誌なんやけど、一風毛色が違っとってさ。おれらの中じゃ、ちょっと〝大人〟な感じやったっちゃん。「ワイルド7」とかが主な連載やったしさ。多分、時々「あんたぁ」って話しかけとる店の奥に座っとる〝男〟が読んどるものやろうけど。そんなわけでおれら、そのたこ焼き屋さんのことを「キング」って呼んどったと。

よう行きよったっちゃけど、なんでかしらん思い出の中ではいつも季節は夏なんよね。シュミーズ姿でさ、後毛が首にペタって貼りついとらすと。

で、漫画の話に戻るけど、たくさん読んだ中でもさ、梶原一騎の存在はめちゃ大きかった。「あしたのジョー」なんかの原作者なんやけどさ。〝一生懸命技を磨いて、その上達だけに幸せを感じる〟みたいなのに強く惹かれるのは、まるっきり彼からの影響やと思う。

「巨人の星」に「タイガーマスク」、「柔道一直線」に「空手バカ一代」、おまけに「愛と誠」。思春期のおれの頭、「ストイックに闘うことこそ男の人生」ってラベルのついた真っ赤に燃える汁の中に、どっぷり浸けられとった感じやね。幸か不幸かその汁が、今でも骨の髄まで染み付いてしまっとる気はする。

でもさ、一番好きな作品をもし一つ挙げるとしたら、それは間違いなく白土三平の「カムイ伝」。これは読んどらんかったら読まんばいかんばい。おれなんかの身体、半分はカムイ伝でできとるけん。そいくらい好きやし、影響も大きいと思う。自分の描く絵に、直接にはちっとも現れとらんけどさ。江戸時代が舞台でさ、農民とか武士とか商人とか、もう、いろんな人がぐちゃぐちゃ入り乱れて出てくるとばってん。人と人や、人と自然の関わりの深いとこが、ぎゅううって描かれとってさ。あとで大学入ってそれなりにいろんなこと学ぶとけど、その土台っちゅうか、拠り所みたいなもんになったよね。

いっぱい出てくる登場人物の中に、百姓の権（ごん）っていうのがおってさ、一揆を主導して捕えられて拷問とかにかけられるとやけど。最後、その拷問に使われとった燃えたぎる鉛を「こんな鉛で我らの心まで溶かすことはでけん!!」って言って一気に飲み干して、そのまま仁王立ちで、ゴゴーって燃えながら死んでしまうっちゃん。その姿がめちゃめちゃ強烈でさ。当時、高校生で、水泳部に入っとったとけど、1日何千メートルも泳いでボロボロになって、手とか上がらんようになった時なんかはさ「ごん!ごん!ごん!」って心の中で叫びながら泳ぎよったもん。この人には何回も助けられた。

あとさ、為政者がいかに人々をひどく扱うかなんてのが、どすんと描かれとるっちゃけど。それなんかはさ、大学で水俣病とかを学ぶようになった時、「ああ、同じやん……」って併せ見たりしよったよね。

佐世保で過ごした小・中・高の頃は、なんか自由がなくて、それなりにあったんやろうけど、今にして思えば不自由な感じやった。なんとなく生きづらかったって気がするっちゃん。それで漫画ばっか読んどったんかもしれんよね。「ここじゃないどこか」っていうのは、いつもあったような気がする。もちろんどこかは全然分からんっちゃけど。そんなわけやけん、あんまし地元への郷土愛みたいなものはないかな。

そういう意味じゃ、自分の中にどこに住んでもいい、デラシネな感じはあるよね。長崎でもパリでもブリュッセルでも、とりあえず目の前にイーゼル立ててキャンバス置いたら、そこに落ち着くし。とはいってもさ、ベルギーおった時の最後らへん、離婚云々で身体壊して病院のベッドの上におった時は漠然と、死ぬんならやっぱ畳の上がよかよな……っては思った。やけん今も日本、ちゅうか九州からは、このままずっと離れたくなかかな。それは聞こえてくる言葉だったり、風景や気候や食べ物だったり、いろんなものが身体に染み込んどるけんさ。

熊本

ちょこっと絵が描ける人

ちっちゃな頃からずっと絵は好きで描きよったけど、よもやそれで食べていこうなんてゆめゆめ思わんかったし、周りもそんなこと思わせんような環境やったよね。前にも言ったように、真面目に勉強していい大学行って、卒業後は公務員か先生、もしくは会社員の３択。今なんかの時代やったら、子どもの才能を喜んで伸ばすような方向に進んだんかもしれんけど、昭和の時代の風潮っていうのも強くあったやろうね。

それで教員免許が取れるとこ行こうって大学探したんやけど、当時熊本大学って文学部の二次試験、小論文だけやったっちゃん。英語とか数学とかは自信なかったけど、作文とかはけっこう褒められたりしとったけん、文章書くだけならなんとかなるかもしれん、って思ったと。あとは熊本っていう土地柄を好いとったし、煉瓦造りの校舎とかもかっこよかった。そんなんが熊大を選んだ理由かな。東京とか都会に出ようってのは、これっぽっちもなかった。今もそうやけど、できるなら近づきたくない（笑）喧騒っての、ほんと苦手っちゃん。

そいで二次試験のために熊本行った当日の朝さ、泊まったホテルの洗面所で歯を磨きよったら、歯ブラシがポキって折れたと。「あ、これは落ちたな……」って思ったよね、めちゃ不吉やん（笑）でもちゃっかり受かっとった。それ以来、何回か歯ブラシ折れたけど、おれにとっちゃあ、これは何か

いいことあるぞって、ラッキーサインになっとる。嫁さんに言わせると「普通折れんやろ。力入れ過ぎ」って（笑）

熊大は、文学部の社会学科ってとこに入学したとけど、相変わらず時間があると絵は描きよった。機会があったら、自己紹介の紙やらクラブの部誌やらにちょっとしたイラスト描いたりしてさ。「コウジは絵が上手かね」って言われて、それで事足りる感じやった。ちょっと絵が描ける人っちゅうくらいやね。

美術部とかに入ってみようなんて考えも、全然なかった。絵は独りで描くもんだって思っとったし、絵に限らず人に習うっちゅうのが苦手っちゃん。高校生の頃とか、授業中は上の空で教科書にパラパラ漫画とか描いとってさ、家に帰ってから自分で参考書読みながら勉強するって感じやった。他人との協調性みたいなのがあんましなかっちゃろうね。あるフリはうまかけど（笑）

そんなんで、サッカーとかバスケットなんかの、チームでやるスポーツは全然できん。しよったんは水泳とか空手とか、一人でするやつたい。もう、隣に誰かおったら気になってしょうがなかと。それだけで体が強張って、ボール落としてしまう。そんなわけやけん、自然と絵もずっと独学やね。

自由を謳歌

熊大におった頃は、結構荒々しか生活もしよった。今と違って文化祭の時なんか、校内でバンバン酒飲んで酔っぱらうしさ。基本、警察は学校には入れんけんが、武闘系のサークルで自衛団ば組んどって、交代でパトロールしとった。自分なんかも少林拳って、中国拳法とかやるクラブにおったけん、そんなのに参加してさ。そいで、酔っ払いの喧嘩の仲裁に入るって口実で自分も加わって、腕試しみたいなことやりよった。もう、バカよねーっ（笑）

土木科の部活の先輩なんか、よく熊大受かったよな……っていう感じの、見た目はヤクザでさ。ある晩、一緒に大学の近くで飲んで帰りよったっちゃん。そしたらいきなり、前からきた青年に「おまえ何学部や？」って凄んでさ。「き、教育学部です」って青年答えたら、「教育学部が夜うろうろすんな」とかいって、ボコって頭殴りよるけんね。おれ「だ、大丈夫ですか？」って駆け寄って。そんなもん、大丈夫やなかよね（笑） 教育学部って、土木科なんかと違って女子が多くて華やかな感じやったけん、やっかんどらしたっちゃろうね。

部活のさ、新歓の行事とかも、今思い出したらぶっ飛んどってさ。熊大の裏に立田山ってあるとやけど。新入生はその頂上のとこの公園で、白波か白岳やったけど、焼酎一本空けさせられると。飲んでベロンベロンになったらさ、全裸に帯だけの姿になるっちゃん。そしたら先輩が、気合入れるぞーっとか号令出すけん、「おーっ」とかでかい声張り上げてさ、麓の繁華街まで全速力で駆け下りるっちゃん。そいで着いたら「せいやーっ」とかいいながら、アーケードの真ん中で演武をするっていうやつ。もう、酔っとるけん、恥ずかしいも何もなかし、どっちかっつうと楽しくはしゃいどるんやけど、通行人にとってはよか迷惑よね（笑） なんかもう無茶苦茶やもん。

そんな部活が終わったあとにさ、週に3回くらい、盛り場のスナックでアルバイトしよった。たまたま先輩の紹介で始めたっちゃけどさ。ほら、他にも家庭教師とか居酒屋とか、バイト先はいくらでもあるわけやん。なんでスナックにしたかっちゅうと、何となく一番、〝ため〟になるって感じたんやろうって思う。実際、学ぶところ多かったしさ。

仕事ったって、掃除したりコップ磨いたり、カラオケの準備したり、それほど大変なことやないとやけどさ。いろんな人の姿、ひと口に言ったら〝酔っ払って素の状態になった大人たち〟を見れるのがよかったよね。酔うとみんな、名刺の肩書きがすっと消えて、名前だけが残るっちゃん。丸裸になると。めちゃドロドロしとるんやけど、同時になぜか、妙に清々しかっちゃん。

今でも酒の席は嫌いじゃなかよね。自分一人でも、よっぽど体調悪くない限りは毎晩飲んどる。ビールはほとんど飲まんで、ワインか日本酒か焼酎。食事に合わせて今晩何飲むか決める感じやね。

まあ、ともかく、硬派か軟派かようわからん大学生活やったけど、勉強もそこそこ真面目にやりよったばい。留年とかもせんかったし、卒論だって数人しか取れんかった〝優〟やった。

高校時代までとはまるっきり環境が違ってさ、経験や学びの量も質も、何百倍にもなってさ。そんなのを、ゴーって音立てて吸収して、グングン自分が成長していくのが実感できたよね。

それと同時にさ、歴史の年号だとか英語の単語だとか、いかに受験勉強ってのがつまらんもんかが、身にしみて分かった。自分の子どもらには、なんか別の道があるといいなってつくづく思う。

そんなこんなで教員資格なんかも無事とれて、実習も終わって、いざ教員採用試験受けたっちゃん。そしたら大学卒業の年と、その次の年、2回続けて落っこちたと。卒業後は研究生って名目で大学には籍だけ置いて、塾のバイトしながら試験勉強しとった。で、3回目受けたらさ、どう考えても、前の2回よりうまくできとらんはずなのに受かってさ、「えっ？」ってなったっちゃん。

なんかもうその頃は、いろいろ経験したり学んだりして、自分には教師は似合わんし、うまくはできんやろうなって強く思い始めとったと。まあ元々、「親が望むので」って感じやったけん「えーっマジ、受かっちゃった。どうしよう?」って(笑)

その頃、数年前からパリにある大学の日本語学科から留学してきとった、ベルギー人の女の子と同棲しとったっちゃん。その子が留学期間が終わったけん、パリに戻るっていうことになってさ。特に目標とかもなくなったし、一緒についていくことにしたっちゃん。まあ、親なんかは大激怒よね(笑)「あんた、教職捨てて毛唐の娘についていくんかい!」ってさ。

パリ生まれのベルギー娘

教職って、やり甲斐のあるとっても大切な仕事の一つやって思うと。つまらん仕事と思うなら、親がどう言おうと、目指したりはしとらんよね。ただ、悲しいかな自分には向いとらんと思った。だって日を追うごとに、目の前にある人が作った規則だとかルールに、抗おう抗おうって身体が反り返り始めた時期やったけん。教えること自体はともかく、校則の指導とかできんもん(笑)

でも、そうは言っても、長年努力して受かったものを手放すのって、なかなか大変かよね。強力な引き金が必要。それが、ベルギー人の彼女やったってわけたいね。もちろん、彼女の存在がなくてもさ、遅かれ早かれ教職とは別の道を進んどったと思う。だって性に合わんことはできんもん。何か別の引き金ば、見つけとったはずやろう。

ただ、その時手にしたんは、その時点ではぶっちぎりに強力な引き金、ベルギー人の恋人やった。彼女がパリで暮らしとったけんパリに行ったけど、ドイツだったらドイツだったろうし、キューバだったらキューバだったと思う。でもさ、引き金強力過ぎよね。海外どころか、飛行機さえ乗ったことない九州の田舎者がさ、いきなり花の都にぶっ飛ばされるとばい（笑）

彼女はさ、出会った当初は熊大の国際交流会館ってとこに住んどったっちゃん。そこと大学のキャンパスをつなぐ国道のちょうど真ん中らへんに、昔ながらのちっちゃな畳屋さんがあってさ。彼女が通るたび、い草の香りなんかがするると。なんかの時にさ、ポツンと彼女が「あたしあの畳屋さんがなくなったら、すぐにこの国から出ていく」って呟いたっちゃん。最初は、「おいおいそれはちょっと大げさやろ」って呆れて聞いとったんやけど、その後もそんな物言いすることが度々あってさ。そういう国民性なのか彼女の性格なのか分からんけど、自分で決まり事を作って、それに従うっていうことをやるっちゃん。彼女、畳屋さんなくなったら、ほんとにすぐパリに帰ったと思う。

で、パリに住み始めたらさ、彼女だけやなくって、そういう風に生きてる人。自分で自分を律するルールを決めて、人がどう言おうとそれに従うってな人が、少なからずおってさ。すごく感心したと。だって、おれら日本人、そんなのあんまりせんやん。たいていは元からある規則にさ、他人の目をこう、キョロキョロ気にしながら、不承不承従うって、そんな感じよね。

それから20年くらい経って熊本で個展したついでにさ、畳屋さんまだあるかなって行ってみたっちゃん。もう当然なくなっとった。もしまだあったら、住んどるマンションの畳、全部そこに注文しようと決めとったのにさ。

フランス・パリ

パリでの学生生活

パリに行くっていったってさ、知り合いなんてもちろんおらんし、彼女の世話になってばかりもいかんやろ。かといってフランス語とか全く話せんし、英語だってぜんぜん自信なか。貯金なんてのもほとんど持っとらん。そいでもなんとか向こうで生活していかんといけん、ううむ、どうしよう……ってなってさ。出発前に、熊本にあるセレクトショップや輸入雑貨の店とか回ったっちゃん。「今度からパリに住むんですけど。なんか仕事ないですか?」って。もちろん、おれ一人やったらそんなの全く話にもならんっちゃろうけど、傍らに金髪のパリジェンヌ座っとるけんね。なかなかの押しが利く（笑）

3つくらい、古着やサンプルの買い付けばする仕事をもらうことができたっちゃん。自分らはあんまし実感なかったんやけど、いわゆるバブルの時代やったけんさ。「面白そうやけん、ちょっとやらせてみようか」みたいな余裕があったのかもしれんね。

パリについた始めの頃は、町の公民館みたいなとこであっとった、主に移民向けのフランス語講座に通いよった。授業料は無料でさ、ここらへん、さすがフランスよね。来とる人は様々で、老若男女、国籍もベトナムに台湾、ロシア、ドイツ、ブラジルって、ほんといろいろやった。そのほとんどが、レストランの皿洗いとか空港の清掃とかの仕事しとってさ、語学学校に通うお金のない人たちやった。

いつも隣に座っとったんは、パキスタンからやってきたギマタサンっていう、ちょっと年下の青年でさ。ある日、その彼が中華系のスーパーのチラシかなんか持ってきたっちゃん。漢字指さして、どうも自分の名前を、日本語で腕のとこに書いてくれって頼みよるみたいちゃん。さすがにギマタサンじゃ長いけん〝ぎ〟の漢字で行こうって思ったけど、なんかあんましよかとが思いつかん。やけん濁点とって〝き〟でいいや、草木の〝木〟にしよって、ボールペンで書いたっちゃん。

そしたらさ、翌週、なぞって刺青にしとったと。びっくりした、自分でやったっていうっちゃん。そん時のお礼にちっちゃな皮の財布ばもらったんやけど、今も持っとる。その語学学校には、半年くらい通ったかな。

ベルギー人の彼女はさ、国籍こそベルギーやけど、パリ生まれのパリ育ちやけん、生粋のパリジェンヌよね。親は離婚しとらして、父親は南仏で新しい家族と住んどって、母親はパリで一人暮らしやった。着いた当初はその母親の訪問者、ビジターっていう立場でビザもらって、滞在しとった。

ところがさ、1年経って期限が切れることになっちゃって。それで、学生ビザに切り替えんといかんくなったけんさ、ちゃんとした学校に通うことにしたっちゃん。探しとったら、ソルボンヌ大学が外国人向けにやっとるフランス語講座が比較的割がいいってことになってさ、そこに通い始めたと。

クラスの顔ぶれが、公民館とはぜんぜん違っとったよね。30人くらいおるんやけど、ほとんどが20代の若者でさ。みんな学費は親から出してもらってますって感じで、スウェーデンはじめヨーロッパ諸国の白人が多かった。そん中に日本や韓国、台湾とかの黄色い人間が混じる感じやね。アラブ系の人も、数人はおったかな。

公民館のクラスはさ、今でも思い出すと心が和むんやけど、なんかこう、苦労を分かち合うみたいな、あったかい空気が流れとったたっちゃん。でもさ、ソルボンヌでは違っとって、みんな同郷の人どうしで固まってさ、互いによそよそしい感じがしとった。

そこではさ、李健昇（リー・ジェイスン）って台湾からきた青年と仲良しになったたっちゃん。その頃はいつもつるんどった。あまたの白人さしおいて、クラスで一番成績がよくってさ。やな感じで苦手やった初老のマダム先生も、一目置いとった。

いつかの昼休み、その健昇と近くのリュクサンブール公園で、一緒にサンドイッチ食べよったたっちゃん。いろいろ話しよったら不意に「コウジは将来何するん？」って聞いてきたと。「え、ええと……分からん」って答えてさ。じゃあお前は？って聞き返したら真顔で、「おれは弁護士になって国のために働く」って言ったたっちゃん。「ああ、大したもんだ」ってとても感心したのを、よく覚えとる。

彼が言う〝国〟の響きがさ、おれなんかが嫌いな「お国のために死んでまいります」の〝国〟じゃなくてさ、なんかもっと身近な〝同胞〟とか〝みんな〟とか、そんな感じやったたっちゃん。

あのさ、台湾のコロナ対策が素晴らしかったの、覚えとる？　日本の政府がわけ分からんこと言ってマスクなんか配っとる時さ、めちゃ有能で魅力的なデジタル担当大臣とか出てきて、ネットなんかでも話題になったやん。そんなの見てたらさ、あの時、リュクサンブール公園に座っとった日本人と台湾人のこと思い出してさ、ううって恥入ってしまったと。民がしょぼけりゃ国もしょぼいし、民が賢かったら国も賢いんやってさ。

そんな将来何になるか「分からん」状態やったけど、とりあえずは生活していかんといけん。学費を捻出するためには買い付けの仕事だけでは到底足りん。そやけん、他にもけっこういろんなバイトをしよった。観光ガイドはじめ、レストランの皿洗い、翻訳の手伝い、日系人の子どもの家庭教師……。

不思議なことにさ、若っか頃って時間がたっぷりあるっちゅうか、ゆっくり流れるやん。小学生の頃の10分の中休みとかさ、運動場行ってドッジボールしてゴム跳びしとる女子にちょっかい出して水飲み場で水飲みついでにバシャバシャかけ合いっことかして、そいで教室戻ってもまだ9分しか経っとらん。先生もまだ来とらん。じゃ先生来るまで借りたジャンプ読み返そうってさ（笑）

でもさ、今なんて、パソコン立ち上げてあくびとかしとったら、もう10分とかすぐ経っとるもん。

小坊の時の話続けるとさ、朝「行ってきまーす」って家出たら近所に90歳くらいのじいさんがおって、縁側とかに座っとらすけん「おはよーございまーす！」とか挨拶して駆け抜けるやん。そいで土曜で3時限目とか終わって帰りよったらさ、まだ縁側に同じ格好で座っとらす（笑）

そん時は、「じいさんこんな長い時間じっとしとって退屈やなかとやろうか……」って思いよったけど。全然、退屈じゃない（笑） ほんの少しぼうっと昔のこと思い出しよったら3、4時間あっという間に過ぎ去っとる。

ともかく、パリにおった20代の頃は時間がとにかくたっぷりあったけん、バイトや学校の他にも、いろんなことやりよったよね。ライブにも映画にもよく行ったし、友だちと飲み歩いたりパーティしたり、パリの街中を一日中あてもなく散歩するっていうのもよくやりよった。で、見るもの聞くもの全部がキラキラ新しくて珍しくてさ、それらがどんどん身体に吸収されていく実感があって、とっても心地よかった。とにかく濃密でさ、住んだのは20代の後半の4、5年やったけど、今ある自分の半分はそこで培われたっていう気がするもんね。

将来なかなか定まらず

やりよったいろんなことの中には、もちろん絵を描くことも含まれるよね。いっぱい刺激を受けるけん、自分でも発散したい表現したいって気持ちが、日増しに強くなってった。そいでだんだんと、家におる時は絵を描いとることが多くなったっちゃん。その頃かな、ペンや鉛筆で紙に描くだけじゃなくて、キャンバスにアクリルで描いてみようかなって、それも試したりし始めたと。

で、そんなんやっとったら、おれなんかがイラストちょっとうまく描けるって知っとる日本の友だちとか仕事相手なんかから、「あんたDM描いてみらんね」とか「もしよければチラシの絵を」とか、頼まれるようになったと（写真02）。その頃はさ、フランス文化が今なんかよりはるかにもてはやされとったけんさ、少々しょぼいイラストでも「パリ在住のイラストレーターに描いてもらった」ってなると、値打ちがグンと上がったっちゃんね。

まだインターネットとかないけん、ファックスや郵便で送りよったよね。国際電話で通話料気にしながら手短に打ち合わせたりしてさ。「ああーっ20分も話した、やばい！」って（笑）

イラストの注文がちょこちょこ入ったりしよったけど、その時点では、まだぜんぜんそれでやっていけるとは思っとらんやった。あいかわらず将来は「分からん」まま。

パリ在住も2、3年経ったらそこそこフランス語できるようになるとけど、もともと語学の才がないけん、いくらやっても〝そこそこ〟のままでさ。発音なんていくら注意してもうまくならんで、パリ在住の日本人連中から「こうちゃんのフランス語って、九州訛りよね」とか言われよった（笑）

それでもさ、何を目指していいのか定まっとらんかったけんさ、もっと本腰入れて勉強して、しっかり会話できるようになろうかな、そしたらガイドやちょっとした翻訳の仕事で食っていけるかもしれん。とか、服飾関係の知り合いが多かったけん、そっちの方へ進んで、服とか雑貨の買い付けを本業にしようかな。とか、たらたらいろいろ考えよった。

そんな風でさ、パリにおった時分は刺激いっぱいで学びも多かったとけど、まだまだ若造でさ。あんなに時間あったのに、無駄に過ごしちゃったなぁ、もったいなかったよなぁっていう気持ちは、ちょこっとあるよね。「おれは絵を描いて生きるんだ」ってのがその時すでに定まっとったらさ、フランス語の学校なんてダラダラ行く必要なかったし、時間の使い方や、ものの見方がまるっきり違っとったという気がする。もちろん、ふらふら無為に過ごしたからこそ、今みたいな絵が描けてるんやろうけん、まったく後悔はしとらんけどさ。

子育ての開始

で、そんなんやっとったら、ベルギー人の彼女が「あたし子どもが欲しい」って言い出したっちゃん。

今でもよーっく覚えとるんやけどさ、モンマルトルからサンジェルマンへと下る95番のバスの中。座って少し経った頃、彼女が不意に言ったと。「あのさ、あたし子どもが欲しい。でもあなたが欲しくないってのはよく知ってる。それで、このバスがサンジェルマンに着くまでに、子どもをつくるか私と別れるか、どっちか決めてくれない?」。えええーっ!どっひゃあーっ!って感じよね(笑)

そんなことあって、子どもが誕生してさ。パリ在住の最後の1年半くらいは子育てもしよった。彼女はまだ大学行きよったし、ブティックやら新聞社やらディスコやらを掛け持ちして働いとって、なかなか大変やった。やけん生まれたての頃はともかく、少し大きくなったら、赤ん坊や家事のことはおれが担当する割合が多かったよね。お金なかったけん、一番安いベビーカー買ったらさ、その日のうちにタイヤが石畳にひっかかって壊れちゃって(笑)

住んどったのは6階建てのアパートの最上階なんやけど、エレベーターはなくってさ。買い物行こうと赤ん坊抱いて通りに出るやん。「あー、サイフ忘れた!」って気がついて「うう、また6階まで上るのかよ……」とか思いよった(笑) まあ、あの頃は結構、鍛えられたばい。

でもさ、孫ができたってなってから、両親の態度がころっと変わってさ。それまでは「コウジは早いとこ別れて戻ってきて、また教職目指せばいいのに」とか思っとったやろうに。まだ彼女が身重の時に、さっそくパリまで会いにきた。

当時住んどったのはベルヴィルっていうさ、昔から移民が暮らす街として有名で、歌手のエディット・ピアフとかが生まれ育ったとこっちゃん。街中とか、アルファベットより中国語とかアラブ語の看板が目立つし、漂っとる匂いもケバブとかパクチーとかドリアンの香り。行き交う人も、アジア系やアラブにアフリカで、白い人が少ないと。

家賃が安いし、面白そうやけんそこにしたとけど。映画とか観とったらさ、こう刑事がいかにも悪そうな面構えの犯人とか捕まえるやん。そいで「お前、住処はどこだ！」「ううう、べ、ベルヴィル……」って言う感じ（笑）治安とかも結構悪かった。実際住んどったアパート、階下で殺人事件とかあったしさ。けど、住んどって馴染んどったけん、そんなことあってもあんまし驚かんかったよね。

カトリーヌ・ドヌーブとアラン・ドロン

両親がパリに到着してさ、シャルル・ド・ゴールの空港まで迎えに行って。空港からそのベルヴィルまで、タクシーで連れて来たっちゃん。で、降りた父親が開口一番。「コウジ、ここにはフランス人はおらんとか?」って（笑）
「おお父よ、彼らは皆フランス人なのです」って肩抱いて言いそうになった。けど、何しろ戦前生まれやけんね。フランス人っていったら、カトリーヌ・ドヌーブとか、アラン・ドロンのイメージばい。「え、おれらいったいどこに連れてこられたんだ?」って思ったんやろうね。
息子が曲がりなりにも父親になったけんさ、家庭の中のことについては、それからはあんましとやかく言わんようになった。けど仕事、絵を売って生活するっていうのについては、認めてもらうまで結構時間かかったよね。40歳とか過ぎとった頃でさえ「風来坊のごとフラフラしとかんで、美術の先生とか定職につかんね」って言われとったもん（笑）

やっと言われんようになったのは、実家でとっとる新聞に挿絵やエッセイが載ったり、個展が大きく紹介されたりするようになってからかな。新聞に載ったり、テレビに出たりするのはさ、彼らにとってはめちゃ重要やけん。息子にお墨付きがバン！ともらえた感じっちゃろうね。やけん、特に新聞の仕事は、親孝行のつもりで率先してしよったよね。テレビとかは苦手やけん、たまに話あっても即断っとったけど。

で、ついでにいきなり今現在の話になるけどさ。こうして熱心に何回も、長崎から福岡まで通って来てさ、インタビューとかしてくれとるやん。でもさ、なんでおれは聞かれるままに、どうでもいいようなこと、ペラペラ偉そうに喋っとるんやろう。ってのは常にあるよね。

さらには、本にして出すとか言うやんか。おれなんか画集さえまだ一冊も出しとらんとに。それってさ、「作る料理はまずいけど、しゃべりはうまい居酒屋のオヤジ」とか、「演技は大根なのに、グラマーやけん写真集を出す女優」とか、なんかそんな、本業以外で売っとる感じやんか（笑）インタビュー本なんて、この分際でめちゃ肩身が狭いし、恥ずかしい心地はするよね。

でもまあ、親くらいは喜ぶかもね。「息子の本が出る！」って。

私は私自身を生きる

日本におった頃のフランスのイメージってのは、実は父親なんかとそれほど大差はなかったっていう気がすると。セーヌ川沿いをさ、白人の美男美女カップルが、なんか小声でボソボソ話しながら歩いとる。って、そんな映画の世界やね。あとは、ワインやチーズ、食べものがとにかくおいしい、みんながセンスよくておしゃれ……って、ちょーありきたりなイメージやね。

特にフランス文学や思想的なものに惹かれとったわけでもなかし、聴いとった音楽もほぼ英語圏のものやった。ほんとうに、出会った女性がたまたまパリジェンヌのベルギー人ってやっただけでさ。そうでなかったら、フランスっていう国も文化も、アメリカやイギリス、イタリアなんかと変わらんような、上っ面だけの関係やったと思う。

住んどった移民街のベルヴィルは、本当に〝人種の坩堝《るつぼ》〟って感じたいね。やけん、九州から出たことなかった人間が、初めてそこで、〝フランス〟っていうより、〝世界〟と出会った感じやった。普通に長崎や熊本の街歩いとっても、ターバンやスカーフ巻いた人や、ド派手なアフリカ布のワンピ着た人とか、あんまし見らんよね。今はちょっと変わっとるやろうけど、30年前やけんさ。

最初はもう、通りを歩いとるだけで、目も鼻も耳も楽しかったよね。通りに出んでも、夏の夕暮れ時とかアパートにおるとさ、クーラーとかなかけんみんな窓を開け放っとるわけやん。中庭に面したドア開けるとさ、いろんな人種のいろんな生活が目に入る。洗濯物も使っとる家具や食器もまちまちで、そこにカレーやら鶏がらスープやら羊焼く匂いなんかが混ざり合って漂ってくるっちゃん。

流れとる音楽も、アラブのポップやら中国の歌謡曲、アフリカンにシャンソンに、もうぐちゃぐちゃ。そこにいろんな言語で子どもがはしゃぐ声や、怒号や、痴話喧嘩の声が重なったかと思ったら、近くのモスクからコーランの合唱が聞こえてくると。でもって、そんなの聞いてる自分が着とるのも、アラブの古着屋で買った裾の長いトーブってシャツやしさ。安くて生地とかよかったけん、よく寝巻きがわりにしとったたっちゃん。

そういえばいつだったたか、顔見知りのモロッコ人に、ふざけて頭にターバン巻かれたことがあってさ。その時、そいつに「お前、なんかおれの国の山の方に住んどる奴らに似とる」って言われたことがあると。それって、ベルベル人やん。サッカーで有名なジダンって知っとる？　あの人がベルベル人でさ。サッカーとか全然見らんけど、彼にはめちゃ親近感ある（笑）

とにかくそんなさ、いろんなものが混ざり合って雑多に存在しとるっていうのが、ものすごーく心地よかったんよね。そいでもってさ、他人の事とやかく言わんで、自分は自分、人は人っていう考えがしっかりある。

高校生くらいまでの頃は、周りの人と同じようにするごと親から強く言われとったし、長いものに巻かれて同調するっていうのが身についとったやん。まあ、大学入ったらそんなん、だんだん薄れてくるっちゃけど、フランスってまるっきり違う。まあ時に自分本位で身勝手やなぁって呆れることもあるけどさ、その分、他人が自分と違ったことしとっても、気にならんし尊重するよね。

周囲にいつもキョロキョロ目を配って、自分は外れたことしとらんかいっつも気にしとったり、気にするように仕向けられとるこの国とは、全然違うっちゃん。冬でも自分が暑いと感じりゃ半袖で地下鉄乗っとるし、夏でも気に入った革ジャンあったら羽織っとる。真夏なのに仕事中は生脚はＮＧ、スカート丈はこれくらい、髪の色は……って、そんなのはぜんぜんなかよね。

そういうさ、自分のことは自分で決める。他人のことはとやかく言わない。という感じは、おれなんかにはものすごく清々しかった。むろん、そんな中にも、戒律の厳しいイスラムの人とかもいっぱいおったりして。住んどるだけでまあ、いろいろ考えさせられると。特に、自分自身について。いろんな人がおる中で自分とはなんぞや?ってさ。周囲が皆同じ格好して同じもの食べて同じもの聞いとったら、まあそんな面倒なこと考えんでよかもんね。同じことやってて安心、しあわせ、正解、みたいなさ。

でもそれって、上辺だけの幸せよね。「他人が何やりたいのかは瞬時に分かるのに、自分が何やりたいのかは分からん」って、自分なんて存在してもしなくても同じやんって、おかしくなっちゃう。

あと、パリにおったら日本と違って、政治との距離が近かよね。国や行政のやり方如何がいかに自分の生活を左右するのか、そんなんをみんな肌で感じとる。例えばカフェで友だちと話しとってもさ、映画の話とか、ワインはどれがうまいとか話しとったかと思うと、自然な流れで今度は「イランに対する政府の態度ってさ……」ってな話になっとる。

政治の話やけんって急に改まる感じでもなくってさ。「あのカフェで働いてる子って可愛いよね」「うん、なんかボルドー出身って言ってた」「そういやボルドーの今度の市長って極右らしいぜ」「えーそうなん、実はさ……」ってな感じで、カフェでも茶の間でも友人同士、親子同士でも、気軽に話しとる。

デモに行くにしたって、あ、今日は休みやけん、顔出しとこ、みたいな感じがあるしさ。もちろん、難民の問題や年金のことは、映画やワインとは違う。やけん時に眉根を寄せて真剣になるし、機動隊に撃たれる覚悟でデモに加わる。でも生活の中にすんなり政治がおるってのには、変わりなかよね。

パリの美術館

今は一応、絵描きとして生活しとるけん、「パリでおすすめの美術館とかギャラリーがあったら教えてください」ってなことをたまに聞かれるとけどさ、ほとんど行ったことないっちゃん。ルーブルだってオルセーだって、日本から来た人の案内を頼まれて、それで初めて行った感じやし。自分から行ったことはあんましなかった。

なんでかっちゅうたら、そんな美術作品なんかよりも、人の服装だとか、蚤の市に並んどる骨董品だとか、日常の中で目にするいろんなものがとにかく刺激的やったっちゃん。ドアノブやコップの形、店の包装紙、寝具の柄、いちいち味わい深いと。

それにさ、今もそうやし、前に言ったかも知らんけど、そもそも人の作品はあんまし観らんっちゃん。一番の理由は、すぐに刺激や影響を受けてしまうと。ただでさえ、スーパーとか買い物行っただけで、商品のパッケージだとか、店の姉さんが首から下げとるネックレスだとか、そういうのにいちいち反応して「おお」ってドキドキそわそわしてしまう。

よくさ「詩人が一歩外へ出たなら千本の矢が降ってくる」なんて、詩人の感受性を喩えて言ったりするけどさ。おれなんかはそんな、立派な矢みたいなもんやなくて、さしずめ砂利だとか小石なんやけど(笑)とにかくあちこちから飛んでくるっちゃん。やけん用事がない限り、滅多に外出せんもんね。

まあ、ともかくそんな感じやけん、そんな人間がゴッホとかセザンヌとか観ようものなら、ビシッバシッ、わわわわ……ってなってしまう（笑）

そいでも、ガイドとかせにゃならんけんさ、ある日、マレ地区にあるピカソ美術館に行ったたっちゃん。4階建てくらいでさ、観てまわっとったら、最初のうちは「おお、やっぱスッゲー」って驚いて感動すると。でもさ、後から後からもう、そこらへんの画家が一生に一枚描けるかどうかみたいなやつが、ぽんぽこぽんぽこ出てくるわけやんか。もうだんだん「分かった、分かった、お前が天才なのは分かったけん、もうやめてくれ（笑）」ってなってさ、本当に吐きそうになった。3分の1くらい残して、外に出てしまったもん。

そんなわけやけん、パリにおった時はあんまし美術館とかには行かんかったよね。

ベルギー人の母

佐世保の両親がパリにやって来た大きな理由の一つにさ〝嫁となる人の母親に正式に挨拶する〟っていうのがあったたっちゃん。やけん、二人を連れて彼女の母さんちを訪ねたと。彼らガチ昭和の人間やけん、口上なんてのをしっかり用意しとってさ。「コウジ、今から言うことをしっかり訳して伝えてくれ」って。で、膝に手とかカチッと置いてあらたまってさ、切りだしたっちゃん。「本日は御息女を当家にいただきたく遠方より参じました」。で、訳したら「え、あげないわよ」って（笑）

おれの両親、わーっ、どっひゃーん！ってなもんよ。ははは……。

言葉詰まっちまった二人に向かって「私たち友だちになるのよね、嬉しいわ。さあ、ワインでも飲みましょうよ」なんて返して、それからリラックスした飲み会になった。

彼女の母さんって遺伝生物学者でさ。大学に籍を置いて、研究活動ばしとらした。ちょーインテリよね。最初訪ねて行った時は玄関入って驚いた。アフリカや南米の彫刻やらお面が、ずらっと並んである棚があってさ。壁にはいろんなデッサンやら油絵なんかが所狭しと飾ってあると。アンドレ・ブルトンが発刊しとった『シュルレアリスム革命』を額装したのとか、修道女が放尿しよるデッサン画とか……佐世保の実家の壁とは大違い（笑）

彼女さ、演劇やっとる人とか画家とか音楽家とかの友人知人が多くてさ、おれもいろんな人に会わせてもらったと。親友の一人なんかは弁護士なんやけど、マグリットの遺産の管理とかやりよってさ、家とかいったら原画とか飾ってあったけんびっくらこいた。あと、彼女の義理の姉っていうのが、ベルギーじゃそこそこ名の通った画家でさ、画集何冊も出しとらしてお城みたいな家に住んどった。

パリに着いた当初の数ヶ月なんかは、彼女のとこに住まわせてもらっとったし、いろいろとめちゃ世話になっとった。やけんさ、彼女の誕生日に喜ばそうと思って。ワイン好きやけん、前々から目をつけとったワイン屋さんで結構がんばって高価なワイン買って、プレゼントしたっちゃん。

親戚とか集まってさ、まずは彼女そのワイン開けて「こうちゃん、ありがとー」とか言いながら一口飲んだっちゃん。で、飲むなりさ、ちょっと顔しかめて「あ、これブショネ」って言ったと。

ブショネってコルクの匂いがワインに移ってしまっとる状態なんやけど、他の人が飲んでも「え、そうかな？」っていうくらい僅かなものやったみたいやし、飲んだって全く害はないっちゃんね。でもさ彼女「他のがあるから持ってくるね」って、おれ買ったワインは脇に置いてさ。

なんか恥ずかしいやら悲しいやらで、すごくしょんぼりしたっちゃん。「おれだったら素知らぬふりして飲むよな、そんな相手を傷付けること言わんよな」って。

ああ、この母にしてこの娘ありだって、その時打ちひしがれながらそう思ったよね。自分がいいと思ったらいい。悪いと思ったら悪い。好きなら好き、嫌いなら嫌い。忖度ゼロ。この二人に揉まれて生きとったけんさ、パリ時代末期のおれは、舌鋒鋭くめちゃ強かったよ（笑）

あのさ、除光液ってあるやん？マニキュアとか落とすシンナーみたいなやつ。何かの拍子に手元くるって、ELLEだかVOGUEだかの雑誌の上に落としたらさ、インクが溶けてぼやけて面白かったっちゃん。そいで、除光液を筆につけてファッション雑誌の写真なぞって加工してさ、それを切り貼りしてコラージュ作品を作りよったっちゃん。そしたらさ、そのひとつを見て義理の母親が「これはいい、私にくれ」って言うけん、あげたと。

そのあとしばらくして彼女の家に行ったらさ、それが額装してリビングの一番目立つとこに飾ってあったっちゃん。さっき話したお城住んどる義理の姉の原画なんか、いくつももらって持っとるのに「私この人の絵は嫌い」って、みんな倉庫とかに放り込んどるのにさ。

子どもが生まれた晩、夜遅くに病院近くのカフェで、二人して祝杯をあげたっちゃん。「こうちゃん、お父さんになったねー」ってしんみり話してさ。で、仕事とかこれからどうする？っていう話になって、相変わらず、ガイドかバイヤーになろうかなみたいなこと話しよったら「こうちゃんは絵の才能があるけん、それを続けりいよ」って言ったっちゃん。

その時までも、この絵はいい、この絵はまああとか、批評だとかアドバイスばしてくれよって、自分なんかの絵を好いてくれとるのは分かっとったんやけど。面と向かってはっきりと言われたけん、とってもうれしかった。

「彼女が才能あると言うのなら、ある。続けよう」って、そう思ったと。自分のことはぜんぜん信じきれんけど、彼女のことは信じられたけんさ。

前にさ、褒められればいい気になってのぼせ上がり、けなされりゃひどく落ち込む。どっちにしろよくないけん、あまり人の評価は見らんし気にせん。って、そんなこと話したと思うんやけどさ。実はその晩、場末のカフェの片隅でさ、彼女にお墨付き、っていうか、〝許し〟だとか〝救い〟に近い気もするんやけど、そんなものをしかともらっとるけんさ、何があっても大丈夫っていうのがあるっちゃんね。

「T'as du talent（あなたはには才能がある）」って言った時の彼女の声の響きとやさしさが、いつでもくっきりと浮かんでくるっちゃん。

パリで最初にやった個展は、彼女が自宅で開いてくれたものやった。けっこう人が来てくれてさ、自分が好きで描いた絵を、そこで初めて人に買ってもらったと。

50歳かそこらで早くに亡くなったんやけどさ、もしも画集とか出す日がきたら、最初に彼女の名を記そうと思っとる。

福岡（1）

やさしい国

パリに住んで、4年半くらい経った頃に嫁さんがさ、大学も無事卒業したし、また日本で暮らしたいって言いだしたんよね。おれなんかはさ、パリに住んどって、いろいろ苦労はあるけどその何倍もの楽しさがあるけん、ずっといたかったんやけど。ほら彼女、決めたらやるタイプ（笑）

さっさと日本の知り合いとかに連絡とって、フランス語教える仕事を見つけてきたっちゃん。それが福岡の大学やった。おれの実家ともそう離れとらんし、いいやろうということで、福岡は中央区の六本松に住むことになったっちゃん。最初はマンションに住んどったんやけど、数年したら2番目の子どもができたし、一軒家に住みたいって言い出したけん、引っ越した。おれなんかはマンションでよかったんやけど、決めたらやるタイプやけん。

新居は庭付き2階建て、9つの部屋と離れが1つのでっかい古民家やった。玄関が四畳半くらい、大理石でできとって、風呂場にはタイルで絵が描いてあった。縁側には雪見窓とかあってさ、庭では竹の子とかムカゴがとれよった。部屋なんか到底全部は使えんけん。電話する時の部屋とか、子どもが怒られた時泣きに行く部屋とか、そんなの作っとった。

フランスに結構おって、精神とかなかなか鍛えられとったけん、久々の日本はなんかもう、だらーんって間延びした感じがしたよね。

「あづみ」って漫画知っとる?、主人公たちは生まれた時から人里離れた山奥で、もう凄まじい忍者修行。そいで、ひとかどの忍者になったっちゅうことで山降りて、無敵といわれる剣豪なんかと戦うんやけど「あれ、この人真面目に戦ってんのかしら?」って感じると。相手がまるで、スローモーションでゆっくり動いとるようにしか映らんと。ちょうどおれなんかも、そんな感じやった。悲しいことにおれ忍者やなかけん、しばらくしたら同化するんやけどさ(笑)でもいざとなったら〝出せる〟っていうのはあるよね。

だらーんってしとるって悪口言ったけどさ、同時に〝人のやさしさ〟みたいなものはほんと、心が和んだよね。

おれの2人目の子どもは女の子でさ、彼女は成長して大学院までずっとベルギーとかイタリアに暮らしとったんやけど、院を出てから日本に住み始めることになってさ。宅配の人とか、区役所の人とか、あまりに親切やけんちょっと目がうるってなったって言っとった。

まあ、その感じ、よく分かるっちゃん。〝ぬるま湯〟なんだけど、安全やし、便利やし、人情味あるし。ただ、〝人と外れたことしなかったら〟っていう条件はあるよね。外れたとたん、一斉にバカンボコン打たれちゃう。

今話した娘が、そのでかい一軒家に引っ越した年に生まれたっちゃん。兄ちゃんより5つ下。2人とも保育園に行きよった。日本の教育環境ってさ、小学校くらいまでは、ほんとにいいと思うっちゃん。まあ、フランスとベルギーしか知らんけんさ、北欧あたりはもっと別格にいいんやろうけど。

ともかく、兄ちゃんが通っとった、パリはサン・マルタン運河沿いの保育園なんてさ。庭なんてものもなくて、マンションの一室みたいなとこに、ぐわーって何人も子どもがおるっちゃん。給食も、パンとヨーグルトと果物だけ。貧乏でそこが安かったけんそこにしたんか、そんなとこしか空きがなかったけんそうしたんか、もはや忘れたんやけどさ。映画のロケ地とかにようなっとる運河の光景と、コントラストがめちゃ強くてさ、扉開けた時の独特の匂いとかをよく覚えとる。

ただ、そんなとこ、っていったら悪かけど、そんなとこでも保育士の人たちは、みんなしゃきってしとらしたよね。初老の女の先生なんか「若い頃は学生運動に意気盛だったのよあたし」っていうような佇まいをしとらした。こっちはアジア人やし、フランス語も変なかしさ、なんとなく子ども同様に扱われとって。送り迎えの時とか会うと、「ムッシュほら口開けて、あーん」とか言って、飴玉を口に放り込まれたりしよった（笑）

あ、保育士っていったらさ、その日本で行っとった保育園の人たちもめちゃよか人ばっかりでさ。担任やった先生は今でも同じ園の現役で、おれなんかの個展にも毎年来てくれる。個展会場でも25年前と同じく「お父さん！」って呼ばれるけん、そしたらどきっとして「あれっ、おれ給食袋、今日も忘れたか？」とか思ってしまう（笑）

食い扶持を稼ぐ

で、なんやったっけ？　そうそう、パリから帰って来て、福岡に住み始めたんやったね。ベルギー人の母親は、大学とかプライベートスクールを掛け持ちして、行ったり来たりしながら働きよった。

父ちゃんも頑張って働かんといかんとやけど、繰り返し言うように、計算ができるわけでも営業が上手いわけでもない。それより何より「絵を描き続ける」って決めてきたけん、それで仕事を探そうって、地元の情報誌とかにそれまで描いたイラストなんかを持っていったっちゃん。

そしたらありがたいことに、挿絵だとかイラストの仕事ばもらえてさ、とってもありがたかった。今考えるとやっぱり絵のよし悪しはさておき、〝フランス帰り〟っていうのが、なかなか効いたんやないかな。

まあ、そんな風にやっとったら幸いにも、いろんなところから仕事が入るようになってさ。特に、街歩きの絵地図を描く仕事をレギュラーでもらえたのは助かったよね。毎月一本、どこそこへ行って、自分で取材した内容をもとに絵地図を描くんやけど、めちゃ自由にやらせてくれてさ。大変なことも多かったんやけど、ためになったし、楽しかった（写真03）。

最初の頃はさ、事前にその街の情報を「最近流行りの店」「ここが注目のスポット」なんて、なるだけ集めて取材に臨んどったんやけど、どうにもありきたりの店や人にしか出会わんでさ。じきに、下調べなしのぶっつけ本番でやるようになった。自分の嗅覚だけを頼りに歩き回るったいね。最初のうちは〝はずれ〟も多かったんやけど、だんだんと冴えるようになってきてさ。〝隠れ家的〟な店を発掘するのが専門のライターの人から「アジサカさん、あんな店よく見つけたねえ」とか、ちょっぴり驚かれるようになった。

そんなんは、今、絵を描く時の訓練になっとるよね。当時はまるっきりそんなこと思っとらんかったけどさ。〝無計画でことを為す〟っていうのの訓練に。

あ、その絵地図の仕事で面白い話があるっちゃけど、いい？またイチローが登場するとけど。おれなんかさ、野球全く興味なかし、テレビとかもぜんぜん観らんけんさ。ちょうどこの人が活躍しとった頃って日本にはおらんかったけん、ぜんぜん知らんかったたいね。で、絵地図の仕事で湯布院に行ったっちゃん。昼間、街中ぶらぶらして、夜の何軒目かに路地裏のさ、感じよさそうな小料理屋に入ったと。カウンターだけの小さい店で、常連さんばっか座っとってさ。

そしたら、店の人とかお客さんがおれを見て「ねえ、この人、イチローに似とらん？」「あー、うん、うん、どことなく似とる」とか話し始めてさ。てっきり、店の人の親戚とか常連さんの息子とかに、イチローって人がおるんやって思っとったと。そしたらだんだん「イチローがバーンって打って、タマがビューンって飛んでって」とか話し始めて、「えーっ、イチロー、猫虐待かよ⁉」なんて思ってさ（笑）見ての通りぜんぜん似とらんっちゃけど、なんでかたまに言われることがあるっちゃん。サッカーのジダンと野球のイチロー足したら、球技が苦手なおれになる（笑）

そんなのやってその頃は、もっぱら注文を受けてイラストを描く仕事しよった。で、仕事の合間に自分が好きな絵を描くっていう感じ。その頃の絵は、今見たら、なんか妙におどろおどろしいものが多かよね（写真04）。

思うに、イラストってのが基本的には、軽く明るく楽しいものやないといかんけん、そのバランスを無意識にとっとったのかもしれんよね。

イラスト描く時と絵を描く時では、なんとなく頭の使うとこが別な感じかな。つうか、絵を描くときには頭使わんけど、イラスト描くときは頭使うって言ったほうが、近いかもしれん。ともかく好きで描く絵は気が向くまま自由に描くけど、依頼されて描くイラストはそうもいかんよね。子ども向けやけんできるだけ可愛くとか、色はもっと鮮やかな方が目に留まりやすいとか、いろいろ計算しながら描かんといかん。

4コマ漫画とかに至っては、話やらオチやらあって、実際に描いてる時間よりも考えてる時間が長かったりするし（写真05）。おれがかっちょいいって思っても、お菓子の広告イラストにドクロ描くわけにはいかんよね。あ、ハロウィンのやつとかあるけどさ。普通は描けんやろ。やけんイラストは、自分は置いといて、相手が望んどるものを描くっていう感じやね。注文によっては、このテーマやったらこれとは別の描き方のが断然かっちょいいのに、自由にやらせてもらえたらなぁって思うものも、少なからずある。やけど注文仕事やけん、黙って依頼主に合わせることが多いかな。

基本、来るものは拒まずやけど、これは流石にできん、っていうのも昔はあったよね。消費者金融の広告イラストとか。当時はサラ金って呼ばれることが多かったんやけど、おっきな広告代理店から電話かかってきて頼まれて。断ったら、それっきり二度とそこからは仕事がない。ブラックリストっちゅうやつに載っとるっちゃろうね。

仲良しのイラスト描きの中には、おれは注文や依頼がないと絵は描けん、っていう人もおるよね。自由になんでも描いていいって言われたら困るって。ある時その彼が、注文が少なくて嘆いとったけんさ「今がチャンスやん、バンバン自分の好きな絵描いて、個展とかやりいよ！」ってゲキを飛ばしたっちゃん。そしたら、「じゃあお前がテーマを決めてくれ」って（笑）世の中、ほんといろんなタイプがおって面白かよね。

ベルギー・ブリュッセル

努力賞

福岡には30代半ばまで、5年くらいおった。そこからベルギーに移住したと。ベルギーって、北のオランダ語圏と南のフランス語圏に分かれとるっちゃん。おれは英語話せんし、フランス語圏がいいけん、首都のブリュッセルに住むことになった。あとそこには嫁さんの祖父母とか住んどって、パリ時代に何回も行っとったけん、馴染みがあったっちゃん。

ベルギーって小さな国でさ、国土の面積なんて九州より小さいし、人口は福岡県の2倍くらいしかおらん。やけん隣の大国フランスとの関係って、こう言っちゃ角が立つとけど、佐賀と福岡みたいな感じかな。特にブリュッセルは、文化も社会も政治も、フランスの影響下にある感じ。テレビ番組なんかも、ニュースの類いを除けばまるっきりフランスの番組やし。実際、ブリュッセルに居を構えてパリに仕事に通うっていう人も、少なからずおるもんね。弱小国やけん、肩肘張らんでのんびりした趣があって、子育てするのにもパリなんかよりずっと環境はよかったよね。

日本を離れた理由はいくつかあったんやけど、決断はいつものように彼女やね。「あんたや子どもたちは気が進まんやろうけど、わたし、行くことに決めたけん」。「うん、わかった」って（笑）

おれはさておき、子どもらはかわいそうやったよね。友だちとかいっぱいおってさ、ご機嫌で楽しく暮らしとったのに。そんな生活から、べりっていきなり引き剥がされて、異国に連れて行かれるとやもんね。あれこれ不平も言わんで黙って親に付き従っとったとけど、慣れるまでには相当に大変やったろうって思う。

上の息子は確か小4やったっちゃん。現地の小学校に編入申請みたいなもの届けに行ったら、フランス語能力が不十分だって断られたと。福岡住んどる時分は「家の中の会話はフランス語で」って強く決めてそうしとったけん、結構話せたとけど。まだまだやったんやね。

校長先生がこう「無理無理」って手を振る姿を、今でもよう覚えとる。でも、そこしかなかったけん、粘って頼み込んでさ。「じゃあ、一応許可しますけど、十中八九ついていけません。きっと後悔しますよ」とか言われつつ、通い始めたっちゃん。

2年後の卒業式の時さ、息子「努力賞」もらったと。校長先生「あなたの子どもは素晴らしい、よく頑張った」って。なんか、名刺の半分くらいの小さな紙を渡されとった。本当に「Prix de l'effort（努力賞）」って書かれとるだけの小さな紙で、名前も何も記されとらんと。賞状とかじゃないのが日本と全然違うよね。「あ、後でそれおれにくれ」ってもらってさ。それからずっとその紙片、今も財布の中に入っとる。

ベルギー移住したら、また福岡へ移り住んだ時と同じように、作品集抱えていろんなデザイン事務所とか新聞社とかに営業してまわったっちゃん。路面電車を乗り継いで行くとけど、暑い時期でさ、着いたらドアの手前の人目につかんとこで、汗をしっかり拭きよったんをよく覚えとる。

日本ってさ、イラスト文化が漫画やアニメと同じく突出しとってさ、いろんな媒体にイラストを使う傾向が比較的強いっちゃん。でもヨーロッパって、広告にしろ雑誌にしろ、往々にして写真の方が重宝がられる。

そんなわけで、営業してもなかなか難しくてさ。「ムッシュの絵はいいんですけど、使うとなるとちょっと……」ってな具合に、どこでも言われとった。結局、汗流して得た仕事は2つか3つやったもん(写真06)。

あちゃあ、そいじゃあ生活が成り立たんっちゅうことで、今度は目先を日本に向けて、ツテなんかを頼りに仕事を探したっちゃん。幸いインターネットが普及し始めとった時期で、場所のハンデとかがさほどなかったけん、いくつか見つかってさ。ありがたいことに、それが少しずつ広がっていった。内容自体は福岡におる時とそれほどの違いはなかったんやけど、住んどるのがブリュッセルやけん、ベルギーについてのエッセイなんて書くと珍重されたよね。

アクリル画を本格的に描きはじめたのは、ベルギーにおった2000年前後やね。仕事も大して忙しくなかったし、子どもら二人ともおっきくなって、さほど手がかからんくなったし。自分の絵を描く機会が日増しに増えていった感じやね。それで、上手くいけば個展なんかしてみたいなって思っとったとけど、美大を出たわけでも、なんかの賞をとったわけでもなかし。実績っていったら、義理の母さんちでやった身内の個展だけやけんね。

その頃、誰の紹介やったか忘れちゃったけど、パリのイラストレーターのエージェントに籍を置いとったっちゃん。そこの代表みたいな人が、なんでかしらん、おれなんかの絵を気に入ってくれとってさ。「仕事とるのは難しいけど、いい絵だ」って(笑) 頼みもしとらんとに、ありがたいことにさ「おれの知り合いがパリのサン・マルタン運河沿いで本屋とギャラリーやっとるけん、そこで個展をやってみないか」って言ってくれたっちゃん。またサン・マルタン運河登場（笑）場所見たら、前に話した保育園とは目と鼻の先やった。

その代表っちゅうのが、ブリュッセルにもギャラリーやっとる知り合いがおって、そこにも紹介してくれたと。で、そこでも続けて展示して、せっかくやけん福岡でも絵の個展やろうってなって……

そんな感じで少しずつ、自分が好きで描いた絵を、人に見てもらう機会が増えていった感じやね（写真07）。

苦境

パリでもブリュッセルでも、個展はそこそこ評判よくってさ。またやってくれんかなとか言われたけど、みんな断ったっちゃん。ベルギーに移り住んだのにはさ、実は大きな理由がひとつあって。一言で言うなら、離婚ってことなんやけど。ほら、ベルギーって片親とか珍しくないし、いろんな家族の形態があるし、受け入れられとるやん。やけん、日本よりも子どもらに精神的な負担が少ないって判断したと。

離婚はまだ福岡おる時、ベルギー人の嫁さんが切り出したっちゃん。「男女関係には情熱が大事。情熱がなくなったらおしまい」ってさ。おれなんかは、そんなもんが薄れてもさ、中くらいの温度でどうにかこうにかやっていく方を願っとったんやけど、知っての通りの性分やけんさ。

喧嘩したわけでも嫌いになったわけでもないけん、まあ数年かけて、徐々に男女から友だちの関係にしていったわけたいね。まあ、そう一口に言うけど、なかなかしんどかったよね。彼女、新しい彼氏と住みはじめて、こっちは精神的にも身体的にもボロボロになっちゃってさ。身体壊して、入院することになった。まあ、あの頃はなかなかキツかった。

ただfavorite、なんかどんどん奈落の底に落ちていく感じやったけん、こう両手に筆を持ってさ、それを断崖絶壁に突き刺して、何とか落ちて行かんようにしとったたってとこはある。気が狂ってしまわんように、遮二無二筆を動かしとったような感じ。

だってさ、２０００年の年末って、母と子はモロッコとか行っておれ一人やったんやけどさ。暦なんて見る暇なく絵描きよったら、いつの間にかクリスマスもカウントダウンも終わっとったもんね。「なんか遠くの方で花火の音するけど……なんだろう」って感じでさ。だから、絵を描くのにはよかったっていうか、絵に助けてもらったたっていうのは、強く感じる。

そんなわけでその頃から、しょっちゅう絵を描いておらんと落ち着かんようになっていったよね……って、なんかまるでアルコール依存症の人の手記やん（笑）

その年越しの時に描いとったんは、森の中に立っとる女性の大きな絵やったたっちゃん。冬の初めくらいにさ、前に話したフランスのエージェントから紹介してもらったたって、イギリスでキューレーターやっとる姉妹から連絡あってさ。アンデルセンの作品の中から一作品選んで、それをテーマに絵を描いてくれないかっちゅうものやった。ヨーロッパ在住の数十名の若手作家に声かけとって、作品揃ったら世界各地を巡回してまわるって言っとった。

面白そうやけん引き受けてさ、「ひなぎく」って悲しい話選んで描いとった絵が、その大きな女性像でさ。完成して郵送したら「めちゃいいありがとう」ってメールきたんやけど、それっきりどうなったか分かんなくなっちゃった。体調崩して入院したり、住んどった部屋の受け渡しの都合で帰国の準備せんといかんかったりで、なんかそれどころじゃなくなってさ……。

写真も撮らずに送ったけん、どんな絵だったかもう忘れちゃった。むかし描いた絵ってあんまし気にせんとやけど、あの絵だけは、もう一回観たいよな。

ベルギー時代に描いた絵は、今観ると全部トーンが暗いと。そんなつもりで描いとったわけじゃないとにさ。知らずと心の有りようが反映されとったかもしれんね。あとさ、ベルギーの天候ってひどいっちゃん。空はいつも重たくどんより曇っとって、降ってるか降ってないか分からんような雨がしとしとしとしと降り続いとる。「降るなら降るでドバーッと降れよ！」って何度天に向かって叫んだか分からん（笑）青い空にでっかい入道雲がドン！って座っとるようなのは、滞在中一度も見たことなかったもんね。「天気さえよけりゃこの国最高なのに」ってみんな口を揃えて言う。そがん天気の具合も絵に影響しとったやろうね（写真07）。

娘なんか高校卒業したらさ、「わたし太陽がギラギラしたとこに行く！」って言って、さっさとイタリアの大学に進学したもん。彼女さ、５歳までは日本におったやろ。九州の空の青さがどうしようもなく身体に染み込んどるんやろうね。

長崎

心機一転

そんなので帰国することになってさ。なんで長崎市に住み始めることになったかっていうと、まずは両親がいいかげん歳とっとったけんさ、あんまし、遠かとこやなかがよかって思ったとさ。まあ、九州以外は考えられんかったし、長崎は、住んだことなかったけん、興味があったっちゃんね。あとさ、Tさんっていう歯医者さんがおってさ、知り合いになっとって、その人がおるっていうのも大きかった。

まだベルギー住んどる時分に、佐世保で個展したっちゃん。街中に「地球屋」って飲食店があったんやけど、ものすごくいかした店でさ、Tさんはそこの常連さんやった。おれも実家帰っとる時なんかはしょっちゅう行きよったけん、そこで仲良くなったと。地球屋ってさ、今は場所変わって世知《せち》原《ばる》ってとこで2代目がやりよっちゃけど。めちゃ料理うまいし、よかとこやけん、今度連れていくばい。

で、まあそのTさんが、おれなんかの絵ば気に入ってくれらしてさ。その時、佐世保の「アルカス佐世保」ってとこで展示しとったんやけど、知り合った翌日に、観に来てくれらして。「あのう、この絵、僕に譲っていただけませんか」って、個展のポスターに使っとった一番おっきな絵を買ってくれらした。ポスター見た時から、「わあ、いいなあ……」って思っとったとって。

で、おれなんかが帰国する数年前にTさん、長崎の歯科に移らしてさ。そこで歯医者やりよらしたっちゃけど「長崎でもアジサカさんの個展やりたかけど、よか場所なかし、おれ作ろうかな」って言ったと。3階建ての古いビルばひとつ買ってさ、そこの1階の一部屋をギャラリーにして、最上階に自分が住んで、あとの部屋は賃貸にするようにさしたと。なんか、変なかやろう？ ぶっとんどらすっちゃん。出身は青森で、めちゃ物腰柔らかくて、そんな風にはぜんぜん見えんちゃけどさ。

そのギャラリー、丸山にあってさ、「錆猫洞《さびねこどう》」って名前つけらしたんやけど、長崎の面白か連中がいっぱい集まってきてさ。しょっちゅう飲んだくれとった。結局、Tさん自分の仕事忙しくなって、ギャラリーとの両立難しくなっちゃって、3、4年でやめちゃうんやけど。その数年間は、パリ時代同様、濃くて楽しかったよね。そんな風にしてたら、心身ボロボロやったのが、だんだん復活してきたと。

おれが住んどったのは、諏訪神社の境内のとこで、長崎くんちは目と鼻の先でやっとった。2階建ての家で、1階に大家さん、2階におれが住んどった。8畳が仕事場で、4畳半が寝るとこ。あとは台所、風呂場にトイレっていう感じの作りやった。神社の敷地内っていうような場所やったけん、とにかくいい〝気〟が流れとってさ。住んどって、めちゃ心地よかった。

トントントンって長坂降りてったら新大工町の商店街でさ、市場とかがあったけん、そこで晩ご飯の買い物とかしてさ。いつもキビナゴ買っとった魚屋の兄さんの顔は、今でも時々思い出す。丸山の錆猫堂で飲んだくれて、フラフラ商店街を歩いて帰ってくる。っていう日々やったよね。

長崎での一人暮らしで楽になった反面、子どもと離れたのは寂しかった。学業あるし「私は子どもなしでは生きられない」って母親が言うけん、すんなり彼らはベルギーで暮らし続けることになったんやけど。

でも夏にはさ、向こうのバカンスって長いけん、始まるなり終わるまで2人とも2ヶ月間、たっぷり日本に帰ってくるっちゃん。時には冬休みにも帰りよったし。もうその時は、旅行したり個展の巡業一緒に回ったり、思う存分一緒に過ごしよったよね。

でもさ、彼らの学校生活や、日常のあれやこれやは全部、母親が一手に面倒見よったわけやんか。こっちはバカンスの楽しい思い出ばっかりしかなかけんね。彼女には、少し申し訳ない気はしとったよね。同時に、勉強だとか友人関係とか、思春期のちょっとドロドロした悩みなんてのを、じっくり分かち合えんかったっていう寂しさもあるよね。

コナミ地獄

飲んだくれとったとはいえ、それ以外はずっと仕事たいね。当時はもう、アクリル画もイラストの仕事も、両方ぐりぐりやりよった。基本は自分の描きたい絵を描いとって、イラストの仕事がきたらそれに集中するっていう感じかな。

そのころ来たイラストの仕事でよく覚えとるのは、ニンテンドーDSのゲームソフトの仕事やね。石原壮一郎さんってコラムニストが『大人力検定』って本を出しとらすっちゃけど、それが評判で、今度はゲーム化するけん、そのイラストを描いてくれってなったと（写真08）。

石原さん、前々から一緒に仕事して顔見知りやったし、面白そうやったけん引き受けたんやけど、何しろゲームに出てくるイラスト、全部描くとよ。問題やその答え、選択技や正解、不正解。人物に動物、植物にいろんな品々、笑った顔に怒った顔に悲しい顔、もう何百何千と描くっちゃん。しかも結局、「大人力検定」と「大人の女力検定」ってソフト2本分をやったけんね、あれは相当なもんやった。数ヶ月、毎日のようにイラストのお題が来ると。おお、今考えてもその頃の切迫感が蘇るばい。まとまったお金になったし、できたソフトを手にした時の達成感はおっきかったけど、目は悪くなるし腰は痛めるし、あれはほんとにキツかった。おれは今でも「コナミ地獄」って呼んどる（笑）

でもさ、逃げられんやん。なんとか締め切り守らんといかん状態よね。おれはイラストだけやけど、他に問題考えたり、音つけたり、動かしたり、宣伝や販促やったり、いろんな人が関わっとる。ヘトヘトになっても、休んだりぶっちぎったりできんよね、迷惑かけるけん。ああ、世のサラリーマンって、日々こんな感じなんかなあ……って、それは身に染みて思ったよね。

地獄期間が過ぎ去って、自分の好きな絵をまた描き始めた時に見上げたさ、諏訪神社の上に広がる空が、もうやたら広くて青かったのを覚えとる。

しばらくして、出来上がったソフトが5箱ずつくらい送られてきたっちゃん。でも、おれはゲーム一切やらんけんさ、パッケージ眺めながらいいワイン買って飲んだ。「見えはしないが、この中には無数のイラストが入ってる。お前はよく頑張った」って（笑）

自分で困難を作る

長崎は山に囲まれとってさ、こう、すり鉢状になったとこで暮らしよる感じやろ。おれなんかにはさ、例えるならそのすり鉢がさ、ブロッコリーとかほうれん草、舞茸やもずく、生姜や梅干しに納豆やキムチ、さらには青魚やうなぎ、そんな身体にいいもん一切合切が詰まった、あったかいスープで満たされとってさ。その中に浸かっとる感じやった。なんかこう、カサカサでバサバサやった心と身体にさ、じわあって滋養がしみ込んでいくみたい。ほんとさ、心身がしっとりしてみずみずしく潤っていくのが実感できるんよ。えーそれは大げでしょ!って思うやろ、でもいいと、おれ大げさやけん(笑)

例えばさ、パリとかで郵便局とか行くやんか。パリで買いつけて日本へ送るものが入っとるでっかいダンボール抱えてさ。窓口着いたら受付の姉さん、カフェオレとか飲みながらクロスワードパズルとかやっとるんよ。「あのう、お邪魔して申し訳ないのですが、海外に送りたいものがありまして……」ってな具合に、気分損ねんようにそうっと切り出すやん。そしたら、変なフランス語を話すアジア人の傍のでかい箱チラッと見て、めんどくさそーに立ち上がると。ふうーっとかため息ついてさ(笑)

そんな感じで、手紙一つ出すにしても、いちいちストレスかかるんよ。スーパーなんかで探し物しとっても、向こうから声かけてくれるってのはありえん。やけん、自分のことに集中しとる店員に、よし!と意を決して話しかけんといかん。日本は自分を引っ込めよう引っ込めようとするけど、向こうは逆で、出そう出そうってする。押されっぱなしじゃ物事進まんけん、こっちも負けじと攻撃的にならざるを得ない。ずっとそうしとったら、めちゃ疲れるよね。まあ同時に鍛えられるけん、いいとけどさ。若くて健康な身体持ってればまだしも、そうでないとなかなかしんどいと思う。

さっきも話したけど、娘がさ、日本帰ってきてすぐの頃、100円ショップへ行ったんやって。「えっと、どこかな洗濯バサミ……」って思い描いた刹那、横には店員さんのやさしい顔があって「何かお探しですか?」なんて声かけられて。気がついた時には誘導されて、洗濯バサミの前に立っとる。その時「ああ、私は天使が住む魔法の国に来た」って思ったたって（笑）

でもさ、滋養たっぷりのスープは、別の言葉で言うと〝ぬるま湯〟やし、天使だけがいるわけじゃなくて、悪魔も少なからずひそんどったりする。生活する分にはまあそれでいいかもしれんけど、描く絵の気が抜けて、ぼんやりとしたお花畑みたいなものになったらヤバイぞと感じ始めたっちゃん。それで、自分自身の手で厳しい環境、〝クロスワードやってるパリジェンヌ〟が大挙して迫ってくるような（笑）そんな過酷な環境を作らんといかんと思ったと。

そいで、「おおそうだ、今まで描いたことないような大作を一つ描こう」って決めたっちゃん。1年間は個展やらずに、それに没頭する。コナミ地獄も終わったことやし、いい機会だ。時は来た！っていう感じじゃね。

でも仕事場って古い家で天井低いけん、物理的に大きな一枚っていうのは無理。やけん、まあまあ大きな50号前後くらいの作品を、屏風絵みたい、横にずらっと並べるようなものを作ろうって考えた。それが「自治区ドクロディア」っていう、ごちゃごちゃした未来都市を描いた作品でさ。40号のキャンバスが24枚、パノラマみたいにぐるり一周連なっとる。２０１０年の年末に、ひとまず描き終えたと（写真09）。

描き終えた頃さ、元嫁から「ベルギーの家が大掛かりな内装工事をしていろいろ大変だから、一月ばかり来てくれたら助かるんだけど」って連絡あってさ。子どもらにも会いたかったし「うん、分かった」って、数年ぶりにブリュッセルに行ったたっちゃん。元嫁は彼氏んちに行ってさ、子どもら勉強大変な時期やったけん、その間は飯の準備やら家事やら全部おれがやっとった。久々に現地の食材で料理して、そんなのは結構楽しかった。ワインも安くてうまいしさ。

工事の人は、みんなポーランド人。正規でなく闇でやる〝何でも屋〟みたいな感じなんやけど、そんな人らがいっぱいおってさ。安いし腕が立つけん、重宝されとらす。だいたいポーランドからの出稼ぎが多いと。そんな人たちがガーガー工事しとる中でもさ、絵は描きたいけん、なんか半地下の物置みたいなとこ片付けてさ。光は十分入ってきたけん、そこにあるダンボール積んで、その上にペンキの缶置いて、キャンバス立てかけて絵を描きよった。

もう、めちゃめちゃに寒くてさ。白い息吐きながら描いとったのを思い出す。絵具を新たにたくさん買うのもったいないけん、最低限の色で描きよったんやけど、仕上がってみたら、水着の少女が震えながら浜辺に立っとる絵になった。多分寒かったけん、そんな絵になったんやろうけど。数年後の個展でその絵を展示しとったら、さっき話した歯医者のTさんが買ってくれた。彼、青森出身やけんさ「あ、図らずしも〝寒さ〟が通じたのかな」って、ちょっと嬉しくなった（写真10）。

そんな冬を過ごして帰国して、時差ぼけが治るか治らんかっていう頃、震災があった。人並みに打ちひしがれて落ち込んで、それでもまあ食っていかんといけん。さあ個展をやろう、「自治区ドクロディア」の登場だ。って押し入れにまとめて入れとったやつ取り出して、3ヶ月ぶりくらいに見てみたと。

そしたらさ、中に描いとる何十もの人物の表情が、ことごとくつまらんものになっとったっちゃん。絵は変わらんけん、おれの方が変わってしまった。やけん、描き直すことにしたと。

できるとこは削ったり剥がしたりして、上から下地材で塗り潰した。首から上だけが真っ白な人間がずらっと居並んでさ、自分で見ても異様な感じやった。そんなふうにして、また一つずつ顔を描いていったっちゃん。

それからというもの、少しでも気に入らない作品は、苦もなくズバッと塗り潰して描き直すことができるようになった。それ以前なら「自分はまあまあの出来と思うけど、気に入ってくれる人がおるかもしれん」って、自分を納得させて個展に出したりしよったんやけど。

ところがさ、ここ何年か、「インスタで作品拝見いたしました。以下のタイトルのもの、もしお手元にまだございましたら、どうかお譲りください」なんて連絡が来ることがたまにあってさ。確認したらその全部が、既に塗り潰して描き直してしまっとったってことが何回かあったっちゃん。さすがにこれはまずいやろうって、今は一旦仕上がったものは、後から気にくわないと思っても、3年間は保存しとくようにしとる。なんか電車に置き忘れられた傘みたいやけど（笑）

福岡（2）

絵箱

長崎から今おる福岡に移り住んだのは、2010年頃やったと思う。結局、長崎には4年くらいおったかな。特別大きな理由があるわけやないけど、仕事する上で、もうちょっと都会に住む方がいいかなって。「でかい作品も一つ描いたことやし、いっちょう環境変えてみるか」って感じやったと思う。

熊大の時、九州大学におる友だちのとこによう遊びに行きよったけんさ、九大のある箱崎はなんとなく親しみがあったっちゃん。筥崎八幡宮っておっきな神社もあるし。八幡様のすぐ近くに引っ越したと。

昔っからさ、職人さんの佇まいだとか、彼らが作るものに対して、とても強く惹かれるとこがあってさ。美術作品やなくて、家具や器、竹細工や染め物なんかの、実際に手にとって使えるようなのを作ってみたかなあって、常々思いよったと。昔の染付けの絵なんか、めちゃよかやん？　なんでもない雑器にさっさって描いてあるんやけど、美術館にある大家の絵なんかより、はるかに味わい深かったりする。それこそ〝そぞろ〟に描いてあってさ。

でも、器に描くっちゅうのはなんか敷居が高いなあ、どうしようかなあ……って考えとって思いついたのが、木の箱に絵を描くことやったっちゃん。箱崎で箱屋さんするのって、なかなか面白そうだぞって。

幸運なことに、筥崎宮の近くに創業300年の「博多曲物」の老舗があって、そこで弁当箱や小物入れを作っとる。それに絵を描いて売ったら、立派な伝統工芸職人の仲間入りだぜ！ってな具合に思ったと（笑）で、さっそく行って、試しにいろんな形のものを3つばかり買って帰ってきたっちゃん。檜の薄い板を曲げて、桜の皮で綴じてあるんやけどさ、木目がめちゃきれいで、ほんのり木の香りがすると。

それを机に新聞紙敷いて並べてさ、普段絵を描く時は立って描くとけど、今回は職人さん気取りでさ。椅子に座って背筋なんて伸ばして、下地材を紙皿に出して、「よし」ってこう筆持って描こうとしたんやけど「う、描けない……」ってなったっちゃん。

だってさ、どう考えてもこの木目以上にきれいな絵なんて、描けるわけがない。香りなんてものも封じ込められちゃうし。自然溢れる小川を、三面コンクリートの水路に変えてしまう感じがしたと。

弱ったなあ、木工なんてできんしなぁ……って探しよったら、トールペイントって絵を描くための白木の箱を見つけたっちゃん。よっしゃあ、これなら大手を振って絵が描けるって、さっそく取り寄せてさ。〝人間国宝〟から遠のいたのは残念やったけど、ちょっとしたクラフト作家みたいな感じで描き始めたっちゃん（写真11）。

ただださ、描く前には実感せんかったんやけど、言うまでもなく箱って立体でさ、キャンバスに描くのは1面やけど、箱は6面分を描かんといかん。描いた後もさ、箱としての実用にそこそこ耐えんといかんけん、ニスを何回にも分けて薄く塗ってさ。小さな箱仕上げるのに、けっこう大きな絵と同じくらいの時間がかかるっちゃん。

しかも、所詮箱は箱やけん、絵みたいに高い値段はつけれんやろ。労力に対してまるっきり割に合わんと（笑）割りに合わんけど、作っとると面白いんよね。だんだんと1面ではなく6面を描く〝文法〟みたいなのが分かってきて、箱との会話が楽しくなっていくっちゃん。それに、できてみたら彫刻みたいな雰囲気もあるしさ。絵箱展用に借りたマンションの一室にずらっと並べたら、めちゃかっこいいっちゃん。観に来た人もさ、普通絵は触ったりできんけど、絵箱はできるけん、手に取って開けたり閉めたりして喜んどった。そんな様子見てるのも楽しかったよね。

結局50個くらい作ったんやないかなあ。絵箱屋さん自体は当初の予定通り、半年続けてやめちゃった。けっこう評判よくてさ、絵の個展にもましていろんな人に来てもらえたのが嬉しかった。

そこで知り合った女性と結婚して、今は彼女との間に生まれた子供と4人、南区にある古い団地で暮らしとる。早いもんで10年くらいになるっちゃないかな。自分としては、もうどっかに移り住んだりするのは嫌だなって思っとる。もともと旅行とかは好きやないっちゃん。

フランスとベルギーが長かったけん、「〜には行かれました？」とかたまに聞かれるとけど、観光地らしきものにはほとんど行っとらんもん。行っとったとしても、ガイドの仕事とか、家族に付き合ってとか、やむなくやね。ただ、住んどる街を歩き回るのは好きやけん、自分の生活する範囲のことはすごく詳しくなるし、愛着も芽生える。今なら、福岡市の南区。毎週末、電動自転車の前後に子どものっけて、公園やイオンや神社巡りばしとる。

昨日と今日と明日が同じなほどよかよね。変化がなけりゃないほどいい。なまじっか予定なんかあったら、そわそわするっちゃん。なんか束縛されて自由がなくなる気がすると。

哲学者のカントにさ、よく知られた話があるやん。毎日決まった時間に起きて、食事して、散歩しよったけん、街の人はカントが家の前通ると、確認して時計を合わせとったっていうやつ。カントのやり方ってよかよね。だってそうしとったら、日常の生活に頭使わんですむけん、自分の思索に集中できるもん。引き合いに出すなよって、天罰が下るのを覚悟で言うならさ、カントの感じに似とるよね。ほぼ毎日、やることが同じで、やる時間が決まっとる。毎日何も変わらん。ただ、絵だけが変わると。

描くことⅡ

地に足のついた名前

コウジは本名やけど、アジサカっちゅうのは、高校時代の水泳部の先輩の名前からとったっちゃん。一つ歳上の男の人で、なんか素朴で土の香りがするよか人やったけんさ、名前をちょっとつけさせてもらったと。まあ、本名以外で何かないかって探して、めちゃ思い入れがあったっちゅうわけやないとけど。今にして思えば珍しか名前やし、印象に残りやすいけん、よかったんやないかと思う。

その名前使い始めたのは、パリから帰国して福岡に住み始めた頃やけん、30歳になるくらいかな。イラスト描く仕事を腰据えてやり始めた時期やね。そろそろインターネットが出始めた時期でさ、知り合いのデザイナーの人がそんなの得意やったけん、アジサカの名で、ホームページを作ってもらったっちゃん。最初にドメイン取ったのは、めちゃ早い時期やったんやないかな。

もともとさ、絵は観てほしいけど、自分のことはあんまし見てほしくないっていうのが少なからずあってさ。だって、街とか歩いとったとして、おれは相手の素性知らんのに、相手は自分の素性を知っとるとばい。「あ、ブログで〜の悪口言ってたアジサカだ、石投げよ」ってさ（笑）なきにしもあらずばい。こんな世の中やし。

やけん、なるだけ顔写真とかも出さんように心がけとるし、もちろんテレビなんかにはでらんよね。まあ、そんなこともあって、本名じゃなくて〝芸名〟みたいなの持ったがいいと思ったのもあるよね。個展会場なんかにおったら、たまに「一緒に写真撮ってもらっていいですか?」とか言われるっちゃん。最初のうちは「それはちっと……」って断りよったんやけど、だんだんそれも、なんか偉そうでイヤやなぁ……って思うようになって。今は、「おお、よかばい。でもなるだけ自分だけで見てね」っていう感じにしとる。

あとはさ、めちゃ偏見なんやけど。イラストレーターって職業が、それこそ自分がシンパシー持っとる農業や漁業、職人さんなんかの世界から見て、なんか地に足のついとらんチャラいものに見えとったたいね。それで、そんな仕事に携わってもチャラくならんように、その戒めとして、なんか土の匂いのする名前ばつけようと思ったと。そいで身近で思い出したのがその先輩やったけんさ、その名を借りたっていう感じかな。

アジサカは、最初っからカタカナっちゃん。漢字のほうが〝チャラさ〟は少なかろうに、なんでそこはカタカナなんやろ。自分でも謎やね（笑）一貫性が全くなか。その頃はパリから帰ってきたばっかりやし、長男ちっちゃくて、その下の子も生まれようかとする時期やった。とりあえずこの名前つけとこうって状況やったっちゃろうね。今じゃすっかり慣れちゃって、周りもそれが本名だと思っとる人がほとんどやね。

イラストという特訓

パソコンでイラスト描くときに使うのは、A４くらいのノートパソコン。ぜんぜん大きくなかよね。それに初心者が使うような、一番安いペンタブつないで描いとる。今はほら、上等なものとかいろいろあるみたいやけどさ、自分にはちょっと不自由なほうが性にあっとるみたい。むかしからずっと小さなパソコンしか使ったことないし。

でもさ、数年前にちょっとしたお祭りの大きな横断幕、縦が2メートル、横10メートルくらいのイラストを描く仕事があってさ。そのときはなかなか大変やった。拡大縮小を何回も繰り返さにゃならんし、パソコンもデータが大きすぎて早く動かん。コナミ地獄ほどじゃないけど、けっこう疲れたよね。

パソコン仕事は、基本的には大体朝にすることが多かよね。5時くらいに起きて、朝ご飯食べる7時過ぎまで2時間くらい。朝ご飯食べたらあとは、日暮れまで延々アクリル画を描いとる。もちろん手間のかかる注文とかきたら別やし、ホームページの更新をまとめて1日がかりでやったりとかもあるよね。

「プチキチ」っていうTシャツのブランド作ってさ、そのイラストを描くとけど、これなんかは誰かに頼まれたわけじゃないよね。こんなデザインのやつがあったらいいなって描くけんが、自分で自分に注文する感じかな（写真12）。

ここ10年くらいはアクリル画を描くことが断然多いっちゃけど、イラストの注文がきたら、たいていは喜んで引き受けるし、嫌いじゃなかよね。パソコンで描くイラストならではの醍醐味もある。絵をビヨーンって拡大したり、左右を反転させたり、色をパッと変えたり、コントラストを強めたり。そんな作業が、簡単にできるわけやんか。アクリル画で左右反転なんて、想像しただけでもぞっとするような手間やし、完全には不可能よね。

でも、そんなアクリル画で不可能なことをパソコンイラストでやってると、イメージの特訓にはなるみたい。目や鼻だけ大きさを変えてみたり、飛行機と船の位置を入れ替えてみたり、バックを真っ青に塗り潰したり。そんな、アクリル画では相当手間かかることを、パッパッて瞬時に繰り返すわけやけん。そのデジデジした画面の変化のスピードに、アナログで筆動かす筋肉が鍛えられるっていうのは、あるような気もする。

タブレットで描くときは、アクリル画の技法から離れよう離れようってするよね。例えば、滲ませたりぼかしたり、色を重ねたりするのはアクリル画でたやすくできるけん、パソコンイラストでは、色や線が明確に出る切り絵や版画みたいな、より単純な描き方になる（写真13）。

最近は、デジタルで本当の油絵や水彩みたいに描く人なんかもたくさんおるやん。作品見て「ぎょえーっ、凄さーっ」って感心するけど、自分では絶対にやらんよね。めちゃくちゃ目が疲れて、首や肩なんかバキバキになりそう。

イラストの時代性とオムツ替え

技術的なこと以外にも、イラストを描くことが、アクリル画のためになるっていうことがあってさ。イラストの仕事って、アクチュアル（同時代的）っての大切っちゃん。今の時代を、ある程度うまく反映しとく必要がある。反映しとったら、絵的にはレベル低かろうがそれだけで、つうか、それだからこそ返って生き生きとして、世に強く広く受け入れられるってとこがある。

普段自分が個展をするようなアクリル画は、流行り廃りなんてものは一切考えんで、自分の好きなように描いとるよね。大滝詠一の名言「流行らぬものは廃れもしない」に倣い、低空飛行でずっと長く飛んで行けたらなぁって思ったりもする。自分が死んだ後に「いいよねこの絵」ってなっても、ぜんぜん構わんわけやし。

でも、イラストの場合はそんなことも言っとられん。存在自体が基本は〝客寄せパンダ〟やけん、ものを売ったり、宣伝したり、よりよく見せたりって、そんなものに使われるものやけんね。今生きてる人に、広く受け入れてもらわんといかん。今の時代に目配せしながら描かんといかん、ってとこはあるよね。

そういうものやけん、有り様はファッションとほとんど同じよね。その時々で、もてはやされとるものがコロコロ変わるし、繰り返される。例えばさ、80年代にズボンやスカートにシャツ入れるのが流行ったとけど、90年代や00年代になると、それがダサさの象徴やったやん。そっからさらに一巡して、最近はカッコいいって若者がシャツ入れとる。イラストも80年代のポップな感じが、今はまた巷に溢れとるよね。

無骨で服なんて着れりゃいい、っていうのに強く憧れる反面、幸か不幸かファッションとか好きやん。海外のファッション雑誌とか今でもたまに手にとるし、むかし服や雑貨の買い付けやってたのも、Tシャツ作っとるのも、それが食い扶持であると同時に好きだからっていうのもある。

まあ、そんなわけでイラスト描くときには、今の時代に同調しようっていう心の筋肉が動くんやけど、好むと好まざるにかかわらず、アクリル画描いてるときにも、その〝同調筋〟みたいなやつが動くことがあるよね。人のちょっとした表情や仕草だったり、服や乗り物の色とか形だったり。描いとるときは何も考えとらんけど、こうして話してると、そんな気がしてくる。

でもさ、「よしイラストの仕事だ。今流行のファッションでもおさらいしとくか」っていうのじゃもちろんなかよね。前にも話したように、日常生活のいろんなものが絵を描くのに役立つ。魚や野菜買うことも、料理も、育児も、あらゆることが絵に反映される。どの経験がどれくらい役立っとるのかなんて見当もつかんもん。

わあ、よく描けたぞ!っていう絵があるとしてさ、その絵がよくできるのに役立った経験のランキングみたいなものを、絵の神様かなんかが作ったとするやん。そしたら、最近観てめちゃ感動した映画は16位くらいなのに、3年前に替えたオムツの匂いが堂々の3位ってこととかあるかもしれんもんね。

何がどう巡り巡って、形を変えて筆の先から出てくるのか分からんもん。いつも言うごと、これこれを入れたけん、これこれが出てくるって、因果関係なんて全く分からん。よかことばかりしよったら、健康で長生きできるわけやないって、巷見るならすぐに分かる。やけん、インプットはインプットで、アウトプットはアウトプットで、それぞれを存分に楽しむ方がよかよね。

時代の変化

むかし描いたイラストなんか見ると、技術的な描さを感じると同時に、「ああ、この頃はこがん時代やったけん、こがん味わいになっとるんやな」って思うこととかあるよね。

時代の変化についてはもう、日を追うごとに、どんどんサイクルが速くなっとる気がする。例えば、俺が小学生の頃「ガッチャマン」っていうアニメがあってさ、その主題歌なんか、ジャングルジム登ったり、滑り台駆け上がったりするときに口ずさむ、スピーディなことこの上ない曲やったっちゃん。でもさ、久しぶりにたまたま耳にしたら、まるで「どんぐりころころ」みたい。ほのぼのした、童謡みたいな速さでさ。えらいびっくりした。

その「ガッチャマン」にしたってさ、当時は観よったら母親から「コウジ、そんなパパパって激しかとばっかり観とらんで、オバQとかサザエさんとか、もっとゆっくりしたとば観らんね」って言われとったけん。いったい、江戸時代の人たちの時間感覚は……って思いを馳せてしまうよね。

いま子どもらが見よるアニメの曲なんて、めちゃテンポが速かやろ。そいで、実際の物語の進行も、びっくりするほどトントン拍子に進んでいく。たちまちボスキャラ現れるし、必殺技とかもすぐに何種類も飛び出す。必殺技とかってむかしはさ、第6話くらいから特訓始めて、第12話くらいに出すけどまだ不完全で負けて、第15話くらいでやっと敵を倒す、みたいな感じやったやん。今はもう技は特訓するまでもなく最初っから身についとってさ、立て続けに必殺技を披露したかと思ったら、第5話にはもうロボットに乗ってのバトルに移行しとる（笑）

ものづくりの世界で「達人跡を残さず」っていうのがあるよね。ものすごい努力や苦労、特訓をしとるのに、それが作品に出とらんで、あたかも事もなげに、さらっと作ったように仕上がっとる、っていうの。今の人たちは、〝跡〟を残すもなんも、最初っからそんなもんなかよね。いかに努力せんで見栄えよく仕上げるのかってのに、躍起になっとる気がする。

でもさ、〝跡〟がないのと、あるけど隠れて見えないのとじゃ、ただ一本の線にしたって、その密度が違うよね。見た目は同じ必殺技なのに、その威力が全く違う。その線じゃ、雑魚は倒せても猛者は倒せんぞ、素人はごまかせても玄人はごまかせんぞ！って。

でもさ、中国の故事にあるやんか。「駿馬はいつの時代にもおるけど、それを見抜ける人はなかなかおらん」っていうの。絵の世界に限ったことやないけど、〝目利きの人〟って年々少なくなっとるってのは、とてもよく実感できるよね。言葉とってもきついんやけど「雑魚が雑魚の作ったもので喜んどる」っていう世界。ゴッホが少なからずおるのに「そのひまわりいいですね」って言う人がぜんぜんおらんと。それは、なかなか悲しか世界ばい。

洞窟暮らしの先祖

なんかさ、晴れ舞台的なものが何となく苦手っちゃん。みんなが自分に注目しとるような状態。個展なんかでも、場合によってはオープニングなんかの時に「じゃ、アジサカさんに一言」って頼まれたりすることあるとけど、挨拶とお礼が済んだら、とっとと引っ込んでしまう。トークショーやライブペインティングの類もやったことなかしさ。絵自体はさておき、自分自身には脚光みたいなものが、なるだけ当たらんようにと気を付けとる。

絵自体にとってもさ、穏やかな自然光くらいが丁度よくてさ、近くに必要以上に強い光があったら、見る人の目も眩んでしまうような気がするっちゃん。でも、特別な考えがあったり、カッコつけたりしとるんやなくて、自然と、性分で、光を避けるようなとこがあると。それ、ずっと何でかなあって思っとったんよ。

前ちょっと話したけど、母方の伯父さんっていうのが教育者で、その人が編纂に関わった郷土史の本をパラパラめくっとったと。そしたらさ「おお」って合点がいくことが書いてあったたっちゃん。

おれなんかが生まれ育ったのは、佐世保の早岐（はいき）ってとこやけどさ、その名前の由来についてなんやけど。太古の昔、そこらへん一帯は速来（ハヤキ）って呼ばれとったそうでさ、速来津姫（ハヤキツヒメ）を長とする、土蜘蛛一族の村やったんやって。

土蜘蛛ってさ、能楽とかゲゲゲの鬼太郎なんかで聞いたことあるかもしれんけど、大和朝廷ができる前から日本に住んどった、先住民みたいなもんたいね。穴ぐらで暮らしとったけん、そんな名前で呼ばれたんやけど。朝廷なんかから、「言うこと聞かん奴ら」だって蔑まされると同時にさ、畏れられたりもしよったらしい。

それ読んでさ、「おお、おれはこの土蜘蛛一族の子孫だったんか」ってなってさ。やけんハレの舞台が苦手なのは、流れとる血がそうさせとるからで、至極当然やったと。同様にさ、生来、権威振りかざして威張っとるような奴らが大っ嫌いっちゅうのも、一気に説明がついたよね。

話ちょっと変わるけどさ、民画って聞いたことある？　韓国の李朝の時代にさ、こう、絵具箱を背負ってさ、「こんにちは〜絵はいらんですか〜」って、竿竹売りや、薬売りみたいに行商して回りよる人たちがおったたっちゃん。名付けるなら〝絵売り〟ないしは〝絵屋〟さんやね。

襖とか壁なんかに絵ば描かせてもらって、それで生計を立てとらした。乞食同然の感じでさ、たいていは重宝がられたやろうけど、「ええい、絵なんていらんあっち行け！」って追い払われたりすることも多々あったやろう。

その人たちにしたってさ、絵がちょっとばかしうまく描けるけん、それを生業にしとるだけで。竿竹作ったり、包丁研いだり、金魚飼ったりするのと、おんなじような心持ちやったと思う。〝アーティスト〟なんていう自覚は全くなかけん、もちろんサインなんてものもなかしさ。粗末な材料で、素早く描かれたものが多いっちゃん。

ところがさ、そんな彼らが描き残した絵、それが民画って呼ばれるものやけど、ものすごく味があっていいっちゃん。もう、好きで好きでさ。手に入る限りの画集を集めた。

で、ご先祖の話に戻るけどさ、さっき話した伯父さんが、家系図見つけてきて、おれらの祖先辿っていったっちゃん。そしたらさ、松浦党って、西海地方を荒らしまわっとった海賊集団に行き着いたと。さらにはさ、古代人の人骨の研究をしとる友だちがおってさ、彼がおれの頭撫でながら、「アジサカさんの頭蓋骨は、まさしく縄文人の形ですよね」って言ったと。

で、話まとめるとさ、今話したあれやこれやをみんな組み合わせて、ちょー手前勝手に自分の出自みたいなんを考えてみたっちゃん。まあ、話は縄文時代くらいまで遡るけん（笑）

つまり、おれの祖先ってさ、最初、太古の昔は洞穴に住んどった土蜘一族なんやけど、のち、海に出て海洋民族になるっちゃん。で、韓国とかにもしょっちゅう行くとけど、おれのずうっと前のばあちゃんっていうのがそんな女海賊でさ。釜山かどっかかの港町で、さっき話した〝民画〟描きの青年と恋に落ちるわけさ。で、めでたく結ばれてさ、済州島あたりに落ち着いて子ども産むんよ。で、その子どもの子孫がおれっていうわけさ（笑）いいやろ？

もちろんでたらめな妄想なんやけどさ、そう思った途端、なんかすごく安心したと。安心すると同時に、大船に乗った気分になった。おれにはご先祖様がついてるぜ！ってさ。でも同時に、こうも思ったっちゃん。ご先祖様に顔向けできんようなことは、したらいかんよなって。

絵を描く時の燃料

「西郷さんシリーズ」は、2014年くらいから気が向いた時に描きよると。普段は、時期ごとに人物画とか、ＳＦっぽい絵とか、花の絵とかを集中的に描いとって、その合間に描き続けとるシリーズよね。よし、西郷さんば描こうって決めて描いとるわけやなくて、描きながら、あ、これは西郷さんシリーズになりそうやなってなる感じかな。やけん、西郷さんシリーズには、花も車も人物も、いろんな要素が入っとるし、時代も場所もめちゃくちゃやね（写真14）。

西郷さんって名前冠しとるけど、そうやって適当に描いとったら出てくるものやし、史実なんかにはぜんぜん基づいとらん。一般的な西郷さんのイメージってのは多分、上野にある銅像みたいに、着物着た太った男が犬連れてふんぞりかえっとる感じやろうけど。おれなんかが描く絵では、筋肉質の男が赤いタイツ一丁で飛びまわっとる。猫やトラが出てくるとけど、犬なんて一切出てこんし。

「何でまた西郷さんがテーマなんですか？」ってよく聞かれるけど、そもそもテーマっていう感じやなかよね。彼の人物だとか業績を伝えるわけでも、歴史的な場面を描くわけでもなかけんさ。ただ、西郷さんの人柄が好きっちゃんね。いい面悪い面を含めて、人間味に溢れとるところを好いとる。猛々しいと思ったら、なよなよしたとこもあるし、さっぱりとした性格かと思いきや、ぐじぐじと根に持つようなとこだってある。人間が大き過ぎて、一言では捉えきれん。

それにさ、西郷さんって、さっきの話の続きで言えば、土蜘蛛的、縄文人的なとこがあるっちゃん。そんなの言ったって、見当がつかんやろうけど。西郷さんってさ、2回奄美大島に島流しにあって、そこで数年暮らしとらすっちゃん。奄美って、いわゆる〝辺境〟やったけん、弥生以降の文化の影響が薄くってさ、縄文的なもんが色濃く残っとったと。習慣習俗や、人の心のあり方なんかが、本土とはまるっきり違う。そんなのに西郷さん、長らく暮らしとって、目を開かされた。

例えばさ、縄文時代とか、暴力での死亡率って1・8％くらいしかないとばい。これってさ、他の国や他の時代と比べると、5分の1くらい。弥生時代になると、いきなり殺害されたみたいな人骨がぐんと増えると。縄文人ってさ、共生とか平和とかを大切にする心が強かったみたいでさ、そんなのも、西郷さんの立ち居振る舞いに現れとるっていう気がするっちゃん。

だって、他の維新の人たちと肌触りみたいなものがぜんぜん違う。もちろん、西郷さんに惹かれ始めた高校時代とかは、そんな知識なくってさ。ただ「あ、なんかこの人違う、好きっ」って感じやったんやけど。明治政府がさ、民衆のこととかちっとも考えんで、自分らの好き勝手しよるの見て、政府に対して反乱起こすとばい。〝国賊〟やけんね、他の〝偉い人〟がお札になっても、西郷さんは絶対ならん。

でも、西南戦争で死んだ後、「いいや西郷さんは死んどらん、星になった」って〝西郷星〟の信仰が広まったようにさ、人々からは断トツで愛されとらす。

西郷さんシリーズに登場する人の服とか帽子、建物やマシンの多くに「K・T・I・J」って書かれとるやん。それって、彼が残した言葉で有名な「敬天愛人」のことっちゃんね。ほら、そのまま書くと、かっちょ悪いけん、ラッパーが叫ぶ感じにしたと（笑）

読んで字の如く「天を敬い、人を愛する」ってことなんやけど、これってそのまま、アフガニスタンで人道支援しとった中村哲さんだったり、足尾銅山鉱毒事件で人々に尽した田中正造翁に当てはまる言葉よね。

西郷さんや中村さん、田中正造翁なんかはさ、その名前を口に出しただけで力が湧いてくるような、おれなんかにとってのヒーローたい。携帯ってもの持ち始めた時からずっと、待ち受けには田中正造翁の写真が入っとるし。ダラっとしたり、グタっとしてるときにそれ見ると、シャキっとなるし心が和むっちゃん。

西郷さんがとっつきやすかし、ビジュアル的にも坊主頭描いときゃ伝わるやろうってことで選んだけど、中村さんでも正造でも、宮崎滔天でも、ガンジーでも、あるいは学校のボランティアで人助けしとる青年でも、「敬天愛人」な人なら誰でもいいと。世のため人のために、黙って目の前の仕事ば淡々としてるような人たち。この人たちは絵を描くときのテーマっていうより、絵を描くときの燃料みたいなものっちゃん。筆を動かすときの原動力、〝よすが〟みたいなもんやね。

絵の中の西郷さんは、飛んだり跳ねたり踊ったり、酒を飲んだり恋したり、自由奔放っちゃん。この絵ば見て、西郷さん好き勝手にやっとらす。自分の自由に生きとらすって感じてもらえたら、それはめっけもんやね。

でもさ、ほら、〝自由を〟描くのと〝自由に〟描くってのは大きく違うよね。だってほら、フリーダムとかピースとか文字入れて、鳥が羽ばたいとる絵で自由を表現しましたって、そんなんやったって自由なんてものはぜんぜん伝わらん。でも例えば、コンクリートのビルが立ち並んでたり、ぎゅうぎゅう詰めの満員電車が走っとるの描いとってもさ、絵としてそれが自由に描かれとったら、なんか羽生えた気分になったりするもんね。

そんなんで自由に描こうと心がけてはおるけどさ、難しかよね。そぞろに描くのも、無心に描くのも、自由に描くのも、おんなじことやもんね。目的やなくてスタイル、あるいは文体っていうか、語り口っちゅうかさ。

街の食堂みたい

知り合いにさ、アングラ劇団で女優やっとる子がおると。「ガラスの仮面」の北島マヤみたいにさ、普段はごくふつうな感じとに、舞台上がった途端にキラーンって光り輝くっちゃん。その子が西郷さんシリーズ観にきてさ、ひと通り観終わった後、にこって笑って「西郷さんシリーズって、なんかいろいろ盛り沢山で、あちこちに目配せしてますよね」って言ったっちゃん。その〝目配せ〟っていうの聞いてさ「う、見抜かれたか……」って、ちょっとどきっとしたと。

確かに車好きな人も、キュートな女の子が観たい人も、格闘技に興味ある人も、コミカルなものに惹かれる人も、いろんな人がいろんな方向から観れる感じの絵よね。なんちゅうか、幕の内弁当みたい。いろんなおかずがちょっとずつ食べられる。

自分は多分、めちゃ欲深いんやと思う。いろんな人に、好ましく思って欲しいっていうのが常にある。SF好き、恋愛モノ好き、民話や童話好き、いろんな人に気に入ってもらいたい。そう考えると、おれなんかの個展は、例えるなら街の食堂みたいな感じよね。メニューには刺身定食もあるし、唐揚げ定食もあるし、カレーライスやちゃんぽんだって揃えとる。

特に西郷さんシリーズは、定食屋さん的要素が濃ゆかよね。いろんな人に、それなりに楽しんでもらえる。女性の絵とか花の絵だけでやる時は、ラーメンだとかカレーの専門店に近かよね。やけん、人物画ばっかり並んでるのを見て、「今回、花の絵はないんですか?」って聞かれることよくあるし、花の絵の時、人物画がなくてガッカリする人がいたりもする。

でも、カレー食べに行ったら目当ての店が閉まっとったけんって、たまたま入った隣のラーメン屋がめちゃうまかった。ってことなんてのは、よくあるやんか。可愛い女の子の絵を目当てにやってきた人が、坊主頭の汗臭い西郷さんの絵を買ってくれるなんてことも、たまにある。

定食屋にしろ専門店にしろ、共通しとるのは、みんな大盛り（笑）さすがに、皿からはみ出すのはまずいけど、たいてい盛れるだけ盛る。ギャラリーに所狭しと並べる。

でもさ、広ーい空間にさ、ミニマルな作品が、ちょこんちょこんってほんの少し並べられとるのって、ものすごーく憧れるっちゃん。高級なお寿司屋さんや、フランス料理の店みたい。お客さんは、極上の品をちょっとずつ、時間かけてゆっくり味わうと。でもさあ、実力的にも性分的にも、悲しいかな、そんなの絶対できん（笑）

燻銀の蕎麦屋みたいなのを夢見ても、到底そんなのにはなれそうもなかもんね。個展に来た人には、もうとにかく腹いっぱいになって帰ってもらいたい。少々まずかろうが腹を満たしゃあ、それでいいやろ、ってなとこはあるよね。

それと同時に、「数撃ちゃ当たる」っていうのも、もちろん大きい（笑）何せ生活かかっとるけんね。作品たくさん並べとけば、どれか気に入ってくれるかもしれんっていうのがある。時々「これじゃあ目移りして選べん」とか「ありがたみがなくなる」とか言われるけどさ。

人好きやけど人嫌い

個展やるペースはここんとこずっと、年に2、3回かな。春に長崎、冬に福岡っていうのは決まっとって、機会があれば間に一つ入る感じ。個展期間は1ヶ月弱で、毎週末は会場に在廊することにしとる。本当は週末以外にもおりたかっちゃけど、精神力がついていかんと。

例えばさ、個展に来る人って、一年ぶりとかに会う人が多いわけやん。そしたら、まあ、たくさん話していかすっちゃん（笑）仕事や趣味のことに始まってさ、恋愛だとか病気のこと、親の死目に会えんかったこと、絵を観る間もなく切々と話す人がおったりする。そんな話が、いちいち心にドスッとかきてさ。「うわあ、それはキツかったですね」なんて、相槌打ちながら聞いてるんやけど、そんなのが5、6人も続くと、もう神経がボロボロになって、耳鳴りしだして目の下がピクピクしてくると（笑）

そうなってくるともう、相手の話すこともうまく理解できんし、喋ろうにも呂律がまわらん。あれはなかなかしんどい。世の中にはカウンセラーや介護士をはじめ、そんな人の話を聞くのが仕事の人がおるわけやんか。すごいよなーってつくづく思う。おれなんか2日が限界やもん。メンタルめちゃ弱かと。

でもさあ、人の話聞くのって、めちゃめちゃ疲れると同時に、めちゃめちゃためになるっちゃん。それが生身の人間から発せられる言葉やけんさ、キーボードかちゃかちゃ叩いて得られる言葉と、質が違う。より心を震わせる。

去年冬の個展の時、在廊しとったらさ、30歳前後の女の人が独り来て、ずうっと長い時間かけて、ゆっくり丁寧に絵ば観てくれよらしたと。ありがたかなぁって思いよったらさ、不意にこっちに近づいてきて「この絵を買いたいんですけど……」って。

で、話し始めたらさ、ほらむかし、九大のある福岡の箱崎で絵箱屋さんやったことがあったやん。それを観に行ってくれたんやって。おれは不在でおらんやったらしいけど。観よったらさ、いくつか気に入ったものがあって、いいなあ欲しいなあと思ったけど、その時はまだ学生やったけん、とても買えんかった。今は卒業して薬剤師として働いとって、ボーナスが出たけん、それで買うことできますって。

それ聞いてさ、もう、ぎゅうって抱きついて頬ずりしたくなった。「そんなのお金いらんけん、持っていきいよ、何ならおまけにあと2枚くらいよかばい」って言いそうになった。むろん差し障りあるけん、どちらもできんかったけど（笑）ともかくすごく嬉しかった。

あとはさ、初めて来た大学生がさ、緊張しながら「あのう、分割でも大丈夫ですか？毎月５千円くらいなら何とか払えるんですけど」とか尋ねてきたりさ。「もちろん、よかよ。何年かかってもよかよ」って答えた。

そういうのはさ、実際に個展会場におらんと、味わえんたい。ネットや人任せで販売しとっても「やっと買えました」って話す人の声の高まり、目の輝き、頬の赤らみとか、そんなのに触れられんもんね。人と会わんで絵だけ描いて、それでバンバン売れるなら、どんなに楽やろうかと思う一方で、そんな人との関わりがなきゃ、人生つまらんよなあとも強く思う。

多分、今くらいの個展の頻度や自分の立ち位置が、ちょうどよかっちゃろうね。このままずっと変わらず続けられたらよかよね。

いらん世話

個展に来た人には、自分からよく話しかけるっちゃん。知らない人だったら、たいていは「何か見てきました？チラシとか……」ってな感じ。

でもさ、自分自身は嫌っちゃんね、話しかけられるの。例えばさ、服とか買いに行くやん。絶対店員に話しかけられたくない（笑）　おれはおれの見たい服を見たいように見て、買いたかったら買うけん、いちいち勧めたり寄ってくるなよな。って、そう思う。もう、いらん世話焼くなよなって。

ただ、さ、これが他人に対しては真逆でさ、「この人は、おれが話しかけんと寂しいんやないかな」って切実に思うと。自分は決してされたくないけど、人はそのされたくないことを待っとるに違いないって、めちゃ変なかやろ。

個展のオープニングとかクロージングパーティなんか、20人とか30人、多かったら50人くらい集まるとけどさ、そこに一人、ポツンとした人がおることに耐えきれんと。何でかしらん「あ、行かなければ！」って使命感が湧いてくる。それで、寄ってって話しかけたり、別の人に紹介したり。

そんな風にしてたら「アジサカさんって、人と人を繋げるんですね」って言われたりして。いや違う、繋げたかねえけどって（笑） そんなの全く考えとらん。ただ、何故かしら、いたたまれんと。やけん、パーティ中は常にキョロキョロしてさ、一人の人とは長く話さんで。話長くなりそうだと、あ、ごめんちょっとトイレに、とか嘘ついて断ち切っちゃったりする。

全く意識しとらんし、そんなこと疲れるけん、御免こうむりたいんやけど、身体が勝手にそう反応してしまうと。そんなんでパーティ終わった後は、もうぐったりたいね。二次会行く気力なんて残っとらん。一人で勝手に右往左往してヘトヘトになって、ざまあなかよね。

やけん、そんな集まり、本当はせんでよかならせんとやけど、それで顔馴染みになって絵を買ってくれる人がおるし、知り合って仲良くなったりする人も少なくないけんさ。それに何より、「おれはやりたくないが、きっと皆はやって欲しいに違いない」って、独りよがりな妄想がおれをつき動かしてしまう（笑）

で、面白いのはさ、そうやってるとたまに、自分みたいなのに出くわす。「一人でゆっくり観てんだから話しかけてくんなよな」って感じの人。そういう反応されたら、「何やこいつ！」ってめちゃ

むかつく。自分は棚に上げとると（笑）

まあとにかく、こんな風に話しかけて、その人の話聞くけんさ。個展観にきた人は、おれがこういう絵を描いとるっちゅうくらいしか情報を持って帰らんけど、こっちは観にきた人の家族関係や悩み事とか、そんな私生活の結構深い部分までいろいろ知っとるって、そんな状態になることも多かよね。

あとさ、大切なこと言い忘れとった。ほら、おしゃべり好きなんて人は、こっちが何もせんでも勝手に相手見つけてペラペラ喋っとるやん。聞くともなしに耳に入ったりするけど、ほとんどあんまし大したこと話しとらん（笑）

ところがさ、控えめだったり、臆病だったりする人、自分からはなかなか話しきれんような人、そんな人にこっちから話しかけていくやん。で、うつむいたままでさ、彼や彼女がはにかみながらポツポツする話って、ものすごく味わい深くて、ためになることが多いと。何より聞いてて、耳触りがとっても心地いい。

「秘すれば花」って世阿弥の言葉があるやん。話してると、隠れてた花がふわあっと咲くみたい。そんな花が時々見れるけん、目の前におる人にとりあえずは話しかけるっていうのがあるかもしれん。

普通の人の感覚

個展で絵の感想を直接聞けるのは、楽しみの一つやね。意外な反応があったりするし。自分ではしょぼくれとると思って、展示せんとこうかなって迷っとったような絵を、来る人来る人みんな「これいいですね」って言ってくれたりすることがある。それは違うやろ、よくなかやろってツッコミたくなるけど、そういう絵が毎回あるっちゃん。そんな時は絵を描く上での考え方を、微妙に修正したりするよね。

なんやろう、絵にしろ小説にしろ音楽にしろ、これだけあまた作られてもまだ死なんで生き残っとるものってさ。目の肥えた批評家がよかって言うものより、結局は、いわゆる民衆だとか大衆だとかがよかって思ったけん、残っとるような気がすると。だけんが、いろんな人がよかって言ってくれるようなものはさ、その価値はきちんと認めてさ、自分を曲げるっちゅうのじゃなかけど。ちょっとそっちに寄って行くっていうのは、大切なんじゃないかとは思うっちゃんね。頑なにはならんでさ。

それはほら、いわゆる普通の人の、普通の感覚よね。個展に出そうか出すまいか、ためらっとったような絵が初日にパッと売れちゃってさ、その後も10人くらいから「これがいいと思ったんですけど、もう売約済みなんですね……」なんて言われるとさ、おれにはまだ分からん何かがあるに違いない、ってなるもんね。

まあ、どういう人が〝普通〟なんかって言ったら、よう分からんとけど。だって、おれなんかの個展に顔出すっていうだけで、ある程度、普通やなかもんね。いつも会場におって、ああ、いろんなフィルターくぐり抜けてやってきたんだ、よくぞここまでたどり着いた（笑）って、少なからず感激するもん。

場面が変われば、ああ、普通の人たちがこんなくだらない番組に熱中するんだ、とか、こんなバカな政治家選ぶんだって、呆れたり怒ったりするし。逆に、ああ、そうか普通の人たちの善意でこの慈善事業は成り立ってたのか、なんて感心もする。

でも、一つ言えるのは、自分はコレクターだとか美術マニアだとか、そういう人に向かって描いとるわけでは決してないってことやね。どちらかというと「私なんて、絵のことなんかさっぱり分からないですけど」っていう人に身体は向いとる。もちろん意識なんてしとらんよ。ただそっちが心地いいけんそうなっとる。ほら、何しろ土蜘蛛一族の末裔やけん（笑）高い方より低い方、明るい方より暗い方を好んで、そっちに向かう習性がある。

あのさ、長年たらたら絵を描き続けてるとさ、ありがたいことに〝ファン〟みたいなのがまあ、ちょっとずつ広がってきてるってのは分かるっちゃん。ただきさ、下の方に広がると（笑）それは望むところで嬉しいとけど、悲しくもある。えてして生活がきつい人が多いけん、絵は売れん（笑）

この前、たまたま草木染めやって生計立てとる人に会ったっちゃん。素朴でにこやかでキリッとしたよか人やったんやけど。彼女が言っとったっちゃん。心込めて染色したものを、できればそのよさを分かって本当に好きな人に買ってもらいたい。でも、買ってくれるのは、ある程度懐に余裕がある人たちに限られちゃう。それはそれでありがたくて、だからこそ暮らしていけるとけど。同時に自分みたいに田舎で手仕事して暮らしてるような人、そんな人にこそ着て欲しい。でも、その人たちには、自分の作ったものなんて買う余裕はない。

そういうのって、どこの世界にも少なからずあるよね。貧乏長屋に生まれ育って、懸命に修行してうまい寿司が握れるようになったとして、その寿司食いにくるのはグルメな金持ちだけってさ。むろん、貧乏長屋のことなんて、キレイさっぱり忘れちまいたい。おれは金持ちに囲まれてハッピーさ。ってのなら全く問題なかけど、貧乏人にこそおれの寿司食って欲しいよなってなったら、いろいろとむずかしかよね。そういうジレンマってのは、真剣にもの作りしていたり、それに関わっとる人ほど、より強く感じとるという気がする。

あー、話がまた逸れちゃった。何やったっけ? あ、個展で自分がしょぼいってものが、逆によかって言われる話やったね。

例えばさ、前回の個展、車の絵ばいっぱい描いて展示したとやけどさ。その中に「オーマガトキ(大禍時)」ってタイトルで、オレンジ色の夕陽の中に、青い影がくっきりとついた白い車が停まっとる絵があったと(写真15)。それなんか、下にいっぱい別の絵が隠れとってさ。それらを塗りつぶして描いたものやけん、キャンバスの目なんて完全に潰れとって、細かな表現ができんかったと。半ば投げやりで、空、車体、影ってそれぞれ一色で真っ平に塗って、ものの数時間でできたような絵でさ。おれ的には、イラストに近い、不本意なこと極まりない仕上がりやったと。

でもさ、その絵が東京のイラスト専門誌の編集者はじめ、ギャラリーの主人や友だち、たまたま観に来た人、どういうわけか観る人観る人に評価が高かったたっちゃん。

こんな手抜きの絵なら、いくらでも描けんのになぁって、そう思った。だって形と色決めて塗り潰しさえすりゃあいい。こんな絵やったら、さほど苦もなく量産できる。たくさん売れて儲かる。けどさ、自分にとっては手抜きやけん、肝心の手応えがないっちゃんね。

で、もう一つ例えば言うとさ。去年の冬は花の絵ばっかり展示したっちゃけど、その中に、大きなチューリップに黄色い蝶がとまっとる絵があったと(写真16)。おれ的にはさ、真っ赤な花に黄色い蝶なんて、めちゃお気楽でどこにでもありそうな感じなんやけどさ。なんかこう、バランスがとれんけん、苦肉の策で、手っ取り早く安直な感じで描いとったったい。で、つまらん絵やけんって、個展の展示リストに入れんで、そこら辺にほたっとったと。

そしたらさ、美大に行っとる長女がそれ見つけてさ「パパ、これは個展に出した方がいい」って言うと。娘はさ、生まれてこの方ずっとおれなんかの絵ば観て育っとるけんさ、その眼は信頼しとるっちゃん。やけん、「あ、そうなん。じゃあ出す」って言って、並べとったら、初日にすぐ買い手が現れて。その後も、来る人来る人「これがよかったとに……」とか言うっちゃん。

やけん、たくさん買って欲しいと思うならさ、本当はイラストに近い、分かりやすい絵を描いた方がいいかもしれんとやけど。不思議なことにさ、パソコンイラストやったら、頼まれりゃ相手の好みに合わせてひょいひょい描くのに、アクリル画はひょいひょい描くと、なんかこう、お天道様に申し訳ない気がするっちゃんね。

でも、先に言ったように、人の感想や意見を聞いて、それに合わせるのが楽しくないのかっていったら、そうでもないっちゃん。いくらかは楽しいし、何よりそんな絵を好いてくれる人がいるというのが嬉しいし、ありがたい。

それに、手軽に描いて、お天道様や自分に後ろめたい気持ちがするっていうのは、普段はお手軽じゃないことをしよるけんが、それがお手軽に見えてしまうってこともあるよね。お気楽に蝶々飛ばしたり、安直に影を青一色に塗りつぶしたり、そういう逃げをふつうはせんけん、それが逃げって感じられる。

そんなふうに考えるとさ、その逃げざるをえん状況を作り出した苦労が、その逃げ自体を美しくさせとる、っていうのは図らずもあるかもしれんよね。でもそう考えるなら、手軽だと分かって手軽に描いても、よかもんはできんということやね。たぶん。

って、ややこしさーっ。自分で言っとって頭痛くなってきた（笑）

人の反応が身に沁みる

熊本に古くからの友人のセレクトショップがあってさ、そこのお客さん向けのカレンダーの絵を毎年描きよるっちゃん（写真17）。アクリル画で描きよるっちゃけど、これはイラスト的な要素が大きかよね。だってさ、不動明王みたいに怒った顔とかさ、世を儚んで崖から飛び降りそうな表情とか、そんなのは描きたくても当然描けんやん。手にした人がさ、「ああ、この店で服買いたいなあ」って気分にならんといかんもん。

で、毎年描くとけどさ、たいていダメ出しされる（笑）　最初はさ、「服や雑貨のことに関しちゃあプロやけど、絵に関しちゃズブの素人やね、けっ……」とか心で思いながら、でも姉貴分で逆えんけん「うん、分かったよ、ちょっと暗すぎるもんね」なんて言いながら描き直しよったと。

でもさ、そう言われて描き直した方が、前より必ずよくなるっちゃんね。個展とかに並べといても、一際評判がよかったりすると。そしたらさ、だんだん、「今年はどういったダメ出しが出るかな」「どんな課題、試練がもらえるかな」って、ダメ出しがさ、だんだん楽しみで、ありがたいものに感じるようになってきたっちゃん。

最近はさ、一発でオッケーが出ると「あ、そう……」って、なんか肩すかしをくらった感じになる。だって「あんたに出す課題はないよ」って、それって見方を変えれば、「もう伸びしろがないよ」って意味やけんさ。

姉貴分のダメ出しは言うまでもなくさ、人の感想だとか意見は、昔からめちゃ身に沁みるっちゃん。やけん、たいてい何でも一人でやるよね。5人おったら、5人分の思いや気分みたいなんかが、ぐりぐりめりめり浸透してきて、めちゃ気疲れしてしまう。たぶん、心の容量がめちゃ狭いっちゃろうね。

仕事柄、絵は広く観てもらわにゃならんけん、インスタやって、更新なんかも自分でしよるけど、画像をアップするだけの作業を手早くやったら、その他の情報は目に入れんよう注意しとる。誰にフォローされたとか、コメントに書かれた感想とか、一切見らんと。プラスの内容でも、マイナスの内容でも、いちいち気分が左右されるし、影響受けて、仕事がうまくできんくなる。だけん、最初からまったく見らんようにしようって、そこは頑固に決めとると。

イラストレーターとしてホームページを作った最初の頃とかは、逆にめちゃ気にしとったよ。アクセス数に一喜一憂したり、自分の名前ば検索してみたり。でも、ここ20年くらいはそういうの一切しとらんよね。

でもそれって、めちゃめちゃ自分勝手で横柄な態度ではあるよね。だってさ「おれはお前に自分のこと知って欲しいけど、お前のことは知りたくない」ってことやもんね。個展とかきた人に、「インスタ、フォローしてます！」って言われても、「ありがとう」ってお礼は言うけど、「じゃあこっちからもフォ

ロー を」ってことは言わんとやもん。とっても失礼やし心苦しかよね。
でも、誰かをやると誰でもになって、そしたらそれに気を遣い始めて落ち着かんくなって、仕事も生活もうまく立ち行かん。大袈裟みたいやけど、経験的にそうっちゃん。やけん、機会があれば頭下げて「横着してるわけじゃなくて、軟弱ですので、すみません」って謝ると。

千本ノックの楽しさ

SNSみたいなのでやっとるのは、ホームページとインスタグラム。他には何もやっとらん。インスタのアカウントは3つ持っとって、一つは主要な絵描きとしてのもの、他にTシャツブランドのものと、モノクロのドローイングを上げとるやつがある。

ドローイングは気が向いたときに描いたものを、一枚ずつ毎日アップする感じかな。ペンで描いたものを写真撮って、ちょっとパソコンで加工する。もともと野球の千本ノックとかの世界が好きでさ。今度の個展までに人物画50枚！とか、花の絵100枚！とか、自分に強いて喜んどる（笑）やけん、ドローイングもどうせやるなら毎日続けて、3年くらいしたら1000枚くらいになるけん、とりあえずそれが目標かな。そしたら、1000枚はさすがに観る方うざいやろうけん、中から100枚くらい選んで、どっかで個展できたらいいなって。今はもう400枚近くになった。つい最近始めた感じなのに、時が経つスピードにびびるばい。

ドローイング描くのはもう、ほんと、気晴らしやね。これっぽっちも苦労せんし、疲れもせん。つうか逆に、癒しや和みになっとる。人と会って疲れたけん、ペン画でも描くか……っていう感じやね。ところがさ、始めた時はそんなこと考えとらんかったっちゃけど、そいつらが新たなゾンビとなって攻めてくると。つまりさ、「ペン画じゃなくて、アクリルで描いてくれ〜」って。中には特に強力なやつがおるけん、「しょうがねえなあ……」って、そんな奴らはアクリル画として転生させとる（笑）と、まあ日々そんな感じなんやけど、自由に絵を描くのって、めちゃめちゃ楽しいやん。映画とか小説読んどる時間がなかもん。だってさ、映画で例えるなら、自分の思うがまま、好きなキャストで好きなセット作って、好きなロケ地で撮影できるとばい。「あ、君、次のシーン全裸でね」とか「夕陽の中、巨大ロボ飛ばしてね」とか、もう好き勝手に作って、出来たはなから鑑賞する感じよ。これ以上の楽しみって、あんましないやろう。

時々さ、友だちなんかから「アジサカさん、絶対ハマるけん！」ってマンガ貸してもらうやん。「おお、うん、うん、確かに……」って読み始めるやん。でもさ、すぐに「あ、こんなの読んでる暇あったら絵描こっ」ってなると。結局、全部読まんまま返す羽目になっちゃったりする。

例えばさ、韓流ドラマにハマっとるとして、いいとこで終わった後の続きが4、5本、常に肩の上に乗っかっとる感じよね。友だちとお茶しとったりしてもさ、「あ、そろそろ帰るけん」ってなる。仕事忙しい？体調壊した？って聞かれても、どちらでもない（笑）

まあ、本人はさておき、周囲はイヤよね。おれだったら絶対イヤやもん。そんな肩にドラマの続きが何本も乗ってて、いつもソワソワしてるようなやつ（笑）しかもさ、本当のドラマだったら「ね、見た？第5話に出てきたあの女。マジで性悪よね！」とか「ほんと。アンタそっくり！」なんて、楽しみを分かち合えたりできるけどさ。おれなんかのは、一人で始まって一人で終わるやつやけん。「あいつ何であんなにいつも上の空なん?」、「うむ、分からん」ってなっちまうよね。

泳いだり走ったり

泳ぐのは好きやね。もともと野球とかの球技は苦手でさ、自分でもそんなに運動はできんって思っとったとやけど。中学ん時に泳いどったら、体育の先生から「おう、なんかお前、波に乗ってよう泳ぎよるな」って褒められてさ。高校では運動部入ろうって思っとったけん、そいじゃあって水泳部にしたと。

その数年前からさ、母親の知り合いが空手の道場しよったけん、そこにも毎週日曜に通いよったっちゃんね。やけん、月曜から土曜まで水泳して、日曜は空手っていうのをみっちり3年間続けた。なんかその頃は、体力も時間もようあったよなあってつくづく思う。

大学行ったら下宿先の先輩に誘われて、少林拳、いわゆる中国拳法たいね。ジャッキー・チェンとかがやるようなやつ。その少林拳の部活に入ったと。空手好きやったし、他の拳法にも興味あったけんさ。空手の素地もあったけん、九州大会で2位とか、まあ、まぐれなんやけど、けっこうよかとこまでいきよったよ。身体動かすのは好きやね。クタクタになって、筋肉痛であちこち痛いくらいが心地よか。ご飯や酒がうまかしさ。

でも、60歳にも手が届くようになったらさ、体力は落ちてくるよね。一緒に暮らしとる小学生と幼稚園児なんてさ、日々どんどんできることが増えてくるわけやん。階段3段飛べたぞ！とか、ひらがな全部読めた！とか。こっちは、階段やめてエレベーターにしよとか、ああ、小さい字が読めんくなったとか（笑）日増しに、できることが減ってくる。

ラッパーのＥＣＤがさ、やっぱ孫みたいな歳の子どもがおって「娘20歳の時、おれ70歳だぜ、でもとうちゃん頑張る」みたいな歌を歌っとってさ、おお兄弟！って励みにしとったんやけど。数年前、癌で亡くなっちゃった。あん時は、なかなか悲しかった。

ところで大学出たらさ、拳法は一人で続けるのちょっと難しかったし、また水泳やり始めたっちゃん。それからはずっと、どこにおっても週に1、2回は必ず泳いどるよね。

そんな感じでさ、今住んどる福岡でもずっと泳ぎよったんやけど、コロナが流行ってさ。ちょっとプールに通えんくなったけん、そいじゃあってランニングを始めたっちゃん。でも長年水泳だけしよって、筋肉がそれ用になっとるけんさ、最初はもう5キロくらいで足がつったりしよったと。それが続けるうち、だんだんと走る筋肉がついてきてさ、距離やタイムがちょっとずつ上がってくるっちゃん。

年々できることとか、健康的な数値が減ってきてんのにさ、走る能力だけはどんどん上がってくるっちゃん。それがめちゃ嬉しくてさ、2年くらいしたら、ハーフマラソンの20キロくらいまで走れるようになったと。でもさ、膝を壊しちゃって。友だちに紹介してもらった整体行ったら、こう体触りながら「ふむ、やり始めたら、とことんまでやるタイプですね」って（笑）

「関節柔らかいので、休んでたらじき治りますよ」って言われたけん、しばらく走らんかったんやけど、あんまし改善せんでさ。そうこうしとったらコロナ落ち着いたけん、またプールに通い始めた。

そして今に至る。って感じばい。
パリでもブリュッセルでも、いろんなプールに行ったよね。でも、一番好きなのは長崎の市民プール。でっかい50メートルでさ、あそこで泳ぐのはほんっとに気持ちよか。なんか生まれ育ったとこの近くやし、水が合っとるとかな。この前長崎で個展やった時、久しぶりに行ってさ、いつもは2000メートルくらいなのに、あんまし気持ちいいけん調子にのって倍の4000メートル泳いだっちゃん。泳いだ後さ、個展会場でぐたーっとなって座っとったら、知り合いが来て「アジサカさん二日酔い？」って言ったと（笑）
まあ、ともかく、自分の身体しゃにむに動かして、その変化を味わうってのが楽しかよね、手応えがある。この前より速く走れたとか、長く泳げたとか、去年より絵の自由度が増したとか、おんなじことよね。自分がなんか世界に向けて、押すように働きかけて、それに対して向こうからも押し戻してくるみたいなさ。人によってはその働きかけが、お金儲けだったり、好きな人を口説いて落とすことだったり、文学賞とることだったり様々なんやけど。人間てさ、そういう、世界を押して引いて、押されて引かれてっちゅうのを味わうために、生きとる感じがするよね。

絵描きの武者修行

武術の世界にさ、武者修行ってあるやん。旅に出て、こいつ強そうだって相手と勝負する。そして勝ったり負けたりするとけどさ。一枚の絵を描くのって、ちょっぴりその武者修行に例えられるという気がする。できた絵は、その試合の記録みたいな感じたいね。

例えば、中国一の猛者との勝負やったらでっかい絵になるし、ちょっとしたスパーリング的なものだと小さな絵になる。でも、大きいのも小さいのも、それなりに自分の技が鍛えられていくたいね。パンチやキックが磨かれるように、色使いや構図のとり方が磨かれる。

時々、スランプになって負けたり、せっかく覚えた技なのに出んやったりするけど、数こなすうち技術はどんどん上達する。そいで、基本は空手の勝負なんやけど、たまに柔道家やキックボクサーなんかと異種格闘技戦みたいなものもやる。それが、立体作品や絵箱にあたる。

そいで、一つ作品が完成したとしても、それは一勝負が終わっただけで、全然終わりやないたいね。修行は続くよね、どこまでも。

とんかつ定食

「絵を描いていく順番は?」ってよく聞かれるっちゃん。たとえば人物画なら、目や鼻、どのパーツが先か。背景はいつ描くのかとか。昔はさ、顔の輪郭とか描いて、髪の毛ラフに描いたら、目、鼻、口なんかを描いてって、人物描き終えたらそれに合わせて背景描くって、そんな感じで描いとった。

中でもさ、目や、口元なんてのは、表情を左右する大切な部分やけん、じっくり時間かけて描いとったりしよった。でもさ、そうやっとっても、あんましいい絵が描けんっちゅうことが、だんだん分かってくるっちゃん。

とんかつ定食あるやんか。もちろんとんかつがメインやけん、「おお、肉汁がたまらん……」とか味わって食べるけど、付け合わせのキャベツだったりポテサラだったり、味噌汁やご飯なんかは、なんちゅうか、適当、おろそかになるやん。しかも、とんかつ一切れだけ残しとって、最後にもう一回時間かけてゆっくり食べるとかして。そんなのじゃあ、絵はうまくいかんっちゃんね。とんかつもキャベツも、味噌汁もご飯も、みな一様においしく食べて、いつの間にか食べ終わっとかんといかん。

人物画で言うなら、目も髪の毛も服の柄も壁の木目も、みんな全く同じように気をつけて描かんといかんっちゃん。服の皺一本やけんっておろそかにすると、あるいは目元やけんって、そこだけ大切にすると、絵全体がよくなくなると。絵一枚が一つの世界になっとってさ、その世界って、描かれたもの全ての調和によって成り立っとるっちゃん。不思議なことにさ、着てる服の色や柄で、人物の表情が変わるし、背景の雲のたゆたい方に、野花の生気が左右される。あるいは、人物の仕草や動きが、周りの風景の印象を変えてしまう。

宮崎駿がさ、レポーターかなんかに「なんでそんなに細部までこだわるんですか?」って聞かれてさ、いかにもめんどくさそうに「細部に手を抜くと全体がダメになる」って答えよったんやけど、あれなんかと同じ感じよね。あるいはさ、黒澤明や溝口健二が、画面に映らんような小さな小道具まで本物を使いよったのは、よく知られた話やもんね。

時々さ、龍の絵とか描く人が、眼のとこだけ残しとって、最後に「むむっ」とか気合入れて描いたりするやん。あんなの、ダメダメって思うっちゃんね。眼もヒゲも鱗もみんな一様に分け隔てなく、いつの間にか描き終わっとかんといかん。

でもさあ、特別とんかつを味わうよね、ふつうは。人物画やったら、表情、目元や口元を味わいたくなる。いつの間にか気付かんうちに食べ終わるなんてさ、おしゃべりに夢中とか、恋人に見とれてるとか、そんな強力な〝上の空〟を作らんといかん。って、なんか繰り返し似たようなこと話しとるよね。

水俣

熊大は社会学部におったんやけど、ゼミの教授が水俣病ば専門にやっとる人やったっちゃん。やけん、調査実習とかで水俣によう行ったりしよったと。大学入る前の水俣のイメージは、すごくありきたりたいね。チッソって企業が水銀たれ流して、海が汚染されて、そこの魚食べた人がひどい病気になった。ってまあそれくらい。

実習の前に、まず記録映画を観せられたんよ。土本典昭の『水俣―患者さんとその世界―』ていうやつなんやけど。それがまず、単純に映画として面白かったっちゃん。ちょうど当時、映画に狂い始めた頃でさ。蓮實重彦って人が創刊した『リュミエール』って雑誌片手に、片っ端から名画って言われとるものを観まくっとったと。それで曲がりなりにも、映画を観る目ってのがちょっぴり肥えとったんやろうね。「続編も観ていいですか?」って先生に頼んでさ、たしか5、6本あったと思うんやけど、視聴覚室で立て続けに観たと。

そしたらさ、観てるうちに、自然と水俣病について興味が湧いてきてさ。研究室にはありとあらゆる関連書籍が揃っとるわけやんか。タイトル見て気になるものから、手当たり次第に読んでいったと。そしたらさ「水俣は日本の縮図」って言われるように、公害のことだけやない、社会のいろんなことを学ぶようになっていった。自分自身が生きてる社会、世界を見る目がどんどん養われていく気がしたっちゃん。しかも上からじゃなく、底の方から見る目やね。って、口に出すとなんかカッコつけで面映かけどさ。

ともかく、そいまでは普通に、大きか車に乗っとる社長は偉くて立派な人で、国や県の議員なんてのは〝先生様〟っていう認識やった。そんな価値観がガラガラって崩れるったい。もう、政治家も企業もとにかく、患者さんをはじめそこに暮らす人々にひどいことをする。福島の原発事故の時だっておんなじたい。何も変わっとりゃせん。

って、なんか、〝わなわな〟ってなってきたけん話戻すとさ、まあ教授に連れられて実際に水俣に行くわけたい。相思社って支援団体があったけん、そこで寝泊りしたり、患者さんちへ行ったり。でもなんかさ、そこそこ勉強して、なまじっか患者さんの苦しみや支援する人たちの大変さが分かっとるけんさ「学生風情が物見遊山で」って後ろめたさが常に離れんと。他の学生は、質問したり議論したりしとるのに、なんか隅で背中まげて俯いとった。おれ如きじゃ口を出せんってさ。ほんとうは〝経験も知識もない〟おれ如きでも、思ったことを口を出すってのが大切なのにさ。そういう意気地がなかったよね。

あとはさ、「おれは水俣病患者さんの側に立っている。国やチッソは悪い。罪を償え!」ってさ、胸張ってひと息で言えんっていうとこがある。口に出そうとすると、ゴニョゴニョって口籠ってしまう。「じゃあ、そういうお前はなんぼのもんじゃい」って。だってさ、チッソをはじめとする環境破壊しとる企業の商品、ふつうにばんばん買って使っとるし、ロクでもない政治家選んでるの、自分自身やしさ。自分の浮気心は棚に上げて「不倫していいと思ってるんですか！」って詰め寄っとるレポーターみたいなことは、できん。

ほら、最初らへんで、従軍慰安婦の像が作れんかった話したやん。自分なんかには、キッパリ大きな声で「それはいけないことだ」って行動する人たちを敬いながら、ゴニョゴニョ口籠るってことしかできんっちゃん。でもさ、自分の全体を使って、真剣に口籠ると。つまりフラフラ、グレーの状態のまま、そぞろに筆を動かし続けると。そしたら〝本心〟、願わくばそれが患者さんらと共鳴するものであって欲しいとけど、それが筆の先から自然と出てくるんじゃないかっちゅう希望がある。

「え？ オシャレな女の子とか、未来都市とか、そんなのばっか描いてんのに？」って言われりゃあ、頭下げるしかなかけどさ、希望としてはそうあるっちゃん。

ちょっと年上のゲイの友だちがおるっちゃん。フランス人で、客室乗務員の仕事しとるんやけど。美少年が好きでさ、タイとかに男の子を買いに行くと。「彼らはその仕事楽しんでやってるし、それで稼いで家族を養ってる。ボクなんかがたくさんお金貢いで助けてあげないとねっ」とか言ってさ。ろくでもないやつと。カフェとかで話しとっても、高齢の人とかおったら「あージジイ、臭いからあっち行け！」みたいなこと平気で言ったりするし。

で、その彼がさ、タイでお気に入りの男の子とどっかのビーチに行って、たらーっと日光浴しとったっちゃんね。しばらくして、寝ぼけ目でふと見たら、年寄りの浮浪者が数メートル先を通り過ぎようとしとったんやって。「うわっ、ボクの視界に入らないでよ、気持ち悪っ……」って思ったら、その瞬間、ふらふらってよろけて倒れちゃった。で、気がついたら彼、その浮浪者に駆け寄って抱き起こしてたんやって。「もう、そのあと、海入ってよく洗ったわよーっ」って言いよったけど（笑）このさ、〝気がついた時には浮浪者を抱き起こしとった〟っていうように、絵が描けたらいいよなあっては思うよね。

あ、タイに行ってしまったけん、また水俣に話をもどすぞ（笑）

そんなこんなで実習終わったんやけどさ、なんか離れ難かったと。歴史だったり風土だったりがそうさせとるんやろうけど、水俣に住んどる人がさ、なんか話しとって、見とって、心地がいいっちゃん。よくさ〝受難の民〟って、沖縄の人と一緒に語られたりもするとけど。それとは別に、前話した、縄文ないしは南洋的なさ、平和だとか共生だとか、自然とか、そんなんを大切にする心持ちみたいなのが色濃く感じられるんよね。それはさ、水俣に住んどるいろんな人、市役所の人やったり、飲み屋のママさんやったり、みんなから感じたと。まあ、たまたまの巡り合わせかもしれんけどさ。

水俣城跡の近くに柳屋本舗って、最中と羊羹作っとらす老舗の和菓子屋さんがぽつんってあるっちゃん。もう、めちゃうまかと。最初食べたときびっくりした。でもそこでしか買えんと。そんなにうまいっちゃけんさ、駅だったり百貨店とかにばんばん出店してさ。東京の虎のマークの老舗みたい、パリとかにも店出して、カトリーヌ・ドヌーブとかＶＩＰに食べさせりゃいいのにって、そんなの思ったっちゃん。

でも、そんなことしなさらん。自分らで作れる分を作って、売れるだけを売って暮らしとらす。それってさ、作家の石牟礼道子が書くところの、水俣の漁師さんみたいよね。つまり、自分らがその日を暮らしていける分だけ獲って、それ以上は獲らっさんと。子どもの結婚式とかでお金いる時なんかは「ごめんばって、少し余計に獲らしておくれなぁ……」って獲るような。

そんなわけでさ、数ヶ月したら、また水俣に舞い戻ったと。教授や他の学生には黙って一人で。街中に一軒だけあるフランス料理屋さんのマスターと顔見知りになっとったけん、冬休みの間、アルバイトさせてもらうことにした。安宿に連泊してさ。バイト代はほとんど宿代に消えたけど、それで別によかったと。そこに住んでみるのが目的やったけん。

でもさ、ちゃんとした志のある人間やったら、相思社とかに泊めてもらって、農作業とかに従事したって思うっちゃん。そうやなくて、選んだのは小洒落たフランスレストラン。それは、おいしいもののおこぼれに預かったり、チャーミングな女性客と仲良しになったりできるかも……とか、そんなやましい心があるっちゃん。そんな気質は、今もずっと変わらんような気がする。なんか、そんな自分のやましさや後ろめたさに色塗って、見栄えよくして売って生活しとるような気さえするもんね（笑）

まあ、結局まかないはカップ麺かコンビニ弁当やった。マスター徹底しとって、店のものはまったく食わしてくれんかった。ときめくような女の子も現れんかった。でも、めちゃ楽しかった。常連客なんかと、毎晩のようにバイトの後飲んだくれてさ。マスターには料理習ったよ。おれのハンバーグはその店の味やけんね。牛のスネ肉使うと、めちゃうまかばい。

名前ももう忘れちゃったけど、常連さんの中に、水俣市役所の人がおった。歳は自分より少し上、23、24歳じゃなかったやろうか。酔いがまわるとさ「おいは行政側の人間ばって、水俣病に関しちゃ、おれらがやるこた筋が通っとらんって思うったい」って、やり切れなさがあるって、そんな話ばしとらした。一緒に飲んだら決まって、スナックから安宿まで、自分の自転車押して送ってくれると。昔バンドやってたみたいで、ジョン・レノンのことをめちゃ好いとらした。道すがら必ず、チン、チン、チン、って3回自転車のベル鳴らしてさ、「Starting Over」を歌っとった。※「Our life together is so precious together（僕らがともに生きる人生 とっても貴重さ）」って。

それから10年くらい経った頃、パリから福岡へ移り住んですぐくらいかな。水俣湾の埋立地で、喜納昌吉&チャンプルーズのコンサートがあったっちゃん。大学の気の合う先輩がさ、水俣に関わりのある思想家の渡辺京二さんの娘でさ、その渡辺さんが石牟礼道子さんと仲よかったけん、一緒に観に行ったたっちゃん。コンサート観たあと、渡辺さんがうまい店があるって連れて行かれたのが、そのフランス料理屋さんやったと。

街中から山のほうに引っ越して、店も大きく立派になっとった。マスター出てきて「むかしバイトしてたコウジです」って言ったら思い出して。渡辺さんも石牟礼さんも水俣じゃ有名やけんさ。「なんでお前がこの方々と一緒におるんかい」って目を丸くしとらした。そいでもって「お前いつの間にそんなに偉くなったんだ」って言うけんさ、「偉くなんてぜんぜんなっとらん、ただの運転係だ」って話したと（笑）

※「（Just Like）Starting Over」（1980 ジョン・レノン）より引用

議論が苦手

これはさ、自分なんかが他の人と話しとって、よう感じるとけどさ、頭ん中に入る情報の空き容量がめちゃ少ないって思うと。本とかさ、けっこう読むとやけど、読むはなから、読んだこと忘れてしまう。人によってはさ、一回読んだら、その内容ほとんど覚えとって人に伝えたり、読んだ事柄をいろいろ組み合わせて議論したりするやんか。あんなのがうまくできんと。

友だちとかが関わっとったりするけん、例えば沖縄の辺野古の基地問題や、高江のヘリパッドのこと、あるいは福島原発や在日朝鮮人のことなんか、ちゃんと知っとかにゃならんと思って、本やネットの文章とか読むやん。読んだときは、おお、うむうむ、とか一旦は頭に入るとけど、すぐにどっかに消えてしまう。

この前個展にさ、パリ郊外の移民地区や、福島なんかへ行ってドキュメンタリー写真撮っとるカメラマンの人がたまたま来たと。よか人でさ、それぞれの抱える問題なんかについて話したかっちゃけど、口から出てこんと。出てくるのはさ、「あ、移民地区ってあちこちからケバブの匂いがすっでしょ。あれ、ソースは何頼んでました?」なんて、とぼけたことばっかりっちゃん。

例えば、さっき話した水俣病のことについてだって、大まかにどんな歴史を辿ったのかとか、どういう裁判があってどんな判決があったとか、胎児性水俣病がどんなものであったとか、そんなこと説明せろと言われても、一向にできんと。なんか、パラパラって断片的に記憶があるだけで、筋道立てて話ができん。話しよったら空回りして、自分でもなんか虚言を言っとる気になってくると。

でもさ、一つ一つの出来事も、それらの繋がりなんかも忘れ去ってしまっとるのにさ、文章読んだ時に痛切に感じた、例えば政府や企業に対する憤りとか、苦しんどる人々への同情とか、そんなのはそのまま消えずにありありと残っとるっちゃん。やけん、差別はいけないことだ。弱かもんを救うのが国の役割だ。とか、ゴスって断言して言えるけど、じゃあ、それちゃんと分かるように説明してみろよ、って言われても、黙り込んでしまう。

フランス人て議論好きっちゃん。好きっていうよか、そうするのがごく自然みたいな感じでさ、みんなとてもそれに長けとると。頭の中にあるものは、みんな口に出してロジカルに言葉で説明できる。「お、おれ、うまく言えんけどさ、分かるよね? 言いたいこと」なんて言ようものなら、即座に「ノン」って返されちゃう。言葉にできんことは、頭の中にないものと見なされてしまうっちゃん。ベルギー人の嫁さんとは、子育てのことなんかでよく口論になりよったんやけど、５０００戦５０００敗０勝みたいな感じやった（笑）

例えば、納豆がいかに身体にいいかって話になって、どういいのかって議論したら、こっちの方がいっぱい食べて身近なはずで、知識の量も同じくらいなのに負けると。論理的に分かりやすく、的確にスピーディに話すし、切り返しも惚れ惚れするほど上手い。「ようし、この言葉で一本とったな」って思っても、さらに強力な返し技で叩きのめされてしまう。

最初の子どもってさ、小学校１～４年生の時は日本の学校に行きよったんやけど、同時にフランス語の通信教育もやりよったと。送られてきた算数の教科書見てびっくりしたっちゃん。まず一番最初に学ばせるのが「記号とは何か」。算数やなくて、哲学の教科書かと思った。

のっけのページにさ、世の中にはいろんな記号があります。ってまず書いてある。で、非常口を表す記号とか交通標識とかが出てきて、その説明が書いてあるっちゃん。その後にやおら、それでは、皆さんがこれから学ぼうとする算数には、どんな記号があるでしょう。って、「＋」や「＝」が出てくると。

で、最初の課題っちゅうのが「自分を記号で表してみましょう」。その頃は一軒家住んどって周りは竹藪で囲まれとったけん、息子は竹の絵を描いて提出したと。それ見ててさ、「こりゃあ奴らに敵うわけない」って思った。小さい時から、物事をロジカルに考える訓練を受けとるっちゃもん。おれら「＋」出てきたら、何も考えんでその左と右の数字足すだけやんか。「＋」ってなんぞや？とか考えんもん。それからというもの、彼女とは口論はするけど、勝利するのは一切諦めた（笑）

でもさ、おれらいちいち筋道なんて考えんで、ロボットみたいにやるけん、計算はうまいし早かよね。向こう、大人だって簡単な計算もできん人が多い。釣り銭なんて、よう間違えられよったし。

いつか、飛行機乗っとるゲイの友だちのこと話したやん。その彼と知り合ったばかりの頃、他２人合わせて４人で中華料理食べに行ったっちゃん。「お会計は１０２ユーロになります」って言われたけんさ「あ、じゃひとり２５ユーロね、おれ２ユーロ出すけん」って言ったら「コ、コウジ、今、何をした？」って目を見開いておれの顔まじまじと見ると。手品師か魔法使い見るような感じでさ。「すごいなぁお前」って（笑）

見方を変えるならさ、人をさ、無駄なこと考えさせずにロボットみたいに使おうと思ったら、日本の教育法いいよね。労働条件過酷だろうが、文句も言わず黙って働く。

まあ、ともかく、フランスとベルギー合わせたら8年くらい住んどったんやけど、そんなんでしょっちゅう議論してはコテンパンに論破されよった。まあだからこそ、言葉でうまく心が伝わらんなら、絵を描いて伝えてやるぜ！ってなっていったのはあるよね。おれの心よ、お願いだから筆の先からうまく出て行ってくれって（笑）

あとはさ、のちに禅の本を読んで「ああ、我が意を得たり！」ってめちゃ嬉しかったのも、議論がうまいことできんやって、苦い思いをした経験があればこそかもしれん。例えば、リンゴの本質は何か？っていう時に、哲学やなんか西洋的なやり方やったら、色や形はどんなだとか、品種や味はどんなだとか、筋道立てて説明するやん。一方、禅の世界ではどうするかっていったら、黙ってガブリと一口食べる。

ってさ、まあ、なんか一丁前のこと話しとるんやけどさ、知っての通り、その割には描いとる絵はしょぼいっちゃん。それは、重々承知しとると。もっと、ドスッとした鎌倉の仏像みたいな絵が描けたらなあって、いつも願っとる。

でも見方変えればさ、しょぼい絵でも長く描きよったら、そこそこためになることが話せるようになる。っても言えるよね。現にこうして、面白いから聞きたいって思う人もあらわれる。最初は引いちゃったけど（笑）　絵を描くの、人間磨くのにはちょっと役に立つのかもしれん。

存在をずらす

絵や音楽や文学ってさ、よく「心の栄養」みたいな言われ方するよね。でも、今日生き死にしとる人にとっちゃ、実際に食べるものだけが重要で、絵なんて観とる余裕とかなかよね。絵描きなんかより、農家や漁師やパン屋さんの方が、ずっと切実で大切だという気がする。

とはいえ、絵だって大切じゃないってことはない。なんやろう、お腹空いとるけど、食い物を探す力がどうしても出らんとき、力が出るように心身をあっためたり、背中ちょっと押したり、それくらいのことはできるような気がする。

『夜と霧』っていう本あるやん。ユダヤ人の強制収容所から生き延びた、精神科医のフランクルが書いた。あの中でさ、フランクル、友人とさ、毎日ひとつ冗談を見つけて笑い合うっていうのをやるやんか。明日、ガス室に送られるかも知れんっていう状況でさ。たいていの人は、生きる力なんて萎えて次々死んでいく中、そうやって彼らなんとか生き延びる。

「明日死ぬかもしれん」って怯える代わりに、笑って少し自分を斜に見て「弱ったなあ、こんなことやらされて、周りの人もじゃんじゃん殺されていくし、おれらついてねえよな、ハハハ」って、自分の置かれた状況を、客観視する、ずれて別の方向から見る。苦難を他人事みたいに捉えると。そしたらさ、ふっと気が楽になって、気が楽になった分、身体に生気が宿ると。

一枚の絵にはさ、そんな一個の冗談みたいな価値があるかもしれん。見た人の腹は満たせんけど、その立っとる位置を、ちょっとずらすような作用。「もうすぐ死んでしまう」って思いに囚われた心に、すーって風送って「まいっか、死ぬまでは生きよっ」て気にさせる力。そんなのがあるかもしれんって思うと。

照り返し

そこに、ポツンと絵があるやん。「変な形だなこの車」とか「やたらサイケな花だな」とか「この子の表情、不思議だな」って、パッと思うやん。その瞬間、その絵もこっちのこと見つけると。「よう、あんた、そこにおったかい」って声かけてくる。そんな、照り返しみたいなものがある。こっちの存在をちょっと明るく照らしてさ。あったためてくれると。

やけん、こっちもさ「おお、おったよ、なんとか生きとるよ」って応えると。そしたらさ、なんかちょっと元気になる。生きる力が、湧いてくると。

おわりに

アジサカさんの語りの余韻を残したまま終わりたいところだが、僭越ながら、最後にインタビュアーとしての振り返りを記しておきたい。今回は合計6回、12時間以上に渡って何度もロングインタビューをさせていただいた。普段から長く時間をかけたインタビューに意識を向けながら、もれなく空気感も伝わるような文章にまとめたいと考え実践している自分にとって、質・量ともに未経験の領域に足を踏み入れることになった。

振り返って一番印象的なのは、対話の時間を共有する手応えを、毎回ずっしりと感じられたことだ。本に残した言葉だけではなく、次の言葉を探す間であったり、視線であったり、声色であったり、言葉にならない要素が多くの気付きと温度感を与えてくれた。それらは通常のインタビューでは冗長的とされがちだが、今回はインタビューのライブ感、ざらついた手触りをいかに残すのかに注力した。

そしてロングインタビューを何度も繰り返していると、時に話は思ってもいなかった方向に進む。脱線を繰り返し、もとの線路を見失うほどに。こちらもありのままの興味と疑問が自然と湧き上がり、不器用な質問となって言葉が溢れた。それはまさに、アジサカさんが言うところの〝そぞろ〟な状態であり、後から録音データを聞き返していても、なんだか遠い場所の誰かの対話を聞いているようで、とても不思議な感覚だった。

こうした感覚は決して特別ではなく、誰しも感じうるものではないか。どんな仕事であっても、生活であっても、ふとした瞬間に我を忘れる感覚と、そこから生まれる新しい可能性がある。そんな風に考えるようになってから、万人受けする耳障りのいい言葉を聞き出すのではなく、一緒に深く潜ることで結果的に普遍性を持った言葉を重ねられると信じてインタビューしてきた。少しでも読んでくださった方に伝われば、幸いだ。

書籍化にあたり、長崎文献社の川良真理さんにはとてもお世話になった。全く見通しもない企画段階から、折に触れて励ましてくださったおかげで、コツコツと一冊の本にまとめることができた。大いに感謝している。そして何よりも、長時間のインタビューに何度も協力してくださったアジサカコウジさんには、頭が上がらない。約2ヶ月に一回のペースで長崎から福岡を訪問していたが、毎回のようにアジサカさんのご友人のお店でランチやコーヒーを共にするのが楽しみだった。窓からの景色や、その日の暑さ寒さ、何気ない世間話も、インタビューに溶け込んでいるはずだ。さらに今回、表紙やカバーの描き下ろしまでしてくださった。素晴らしい絵はもちろん、〝アジサカフォント〟で書かれた自分の名前を見たときの感動は、今でも鮮明に残っている。

これからも一ファンとして、そしてインタビューを通して一緒に深く潜った一人の物書きとして、そぞろで自由で、土の匂いのする作品を心待ちにしている。

2023年8月4日　藤本 明宏

アジサカコウジ

画家兼イラストレーター
1964年長崎県出身。熊本大学文学部卒業後、渡仏。様々な仕事をしながら絵を独学。4年後帰国しイラスレーターに。10年後の2002年、ベルギーへと移住するとともにアクリル画での個展開始。以後、国内外で個展。現在は九州を拠点に制作に励む。

作品写真撮影・牧野正文（negaposi）

アジサカコウジ関連URL

ホームページ

https://azisaka.com

インスタグラム

https://www.instagram.com/azisakakoji/

ドローイング日記

https://www.instagram.com/nana.sauvage/

プチキチ(Tシャツの店)

https://petitkichi.thebase.in

藤本明宏（ふじもとあきひろ）プロフィール

インタビュアー兼ライター
1988年山口県出身。県立長崎シーボルト大学国際情報学部卒業後、タウン情報誌を発行する株式会社ながさきプレスに入社。編集部で勤務した後、ライターとして独立。様々な媒体の取材記事を手がけながら、インタビューをライフワークとしている。

アジサカコウジ インタビュー

そぞろに描く

発 行 日	2023年9月1日 初版
著 者	藤本明宏
発 行 人	片山仁志
編 集 人	川良真理
発 行 所	株式会社長崎文献社 〒850-0057 長崎市大黒町3-1 長崎交通産業ビル5階 TEL：095-823-5247 FAX：095-823-5252 本書をお読みになったご意見・ご感想を 下記URLまたは右記QRコードよりお寄せください。 ホームページ https://www.e-bunken.com

ISBN978-4-88851-392-0 C0095